Cubazuela:

crónica de una intervención cubana

Juan Antonio Blanco /Rolando Cartaya
Luís Domínguez / Casto Ocando

FOUNDATION FOR
HUMAN RIGHTS
IN CUBA

Publicado por Foundation for Human Rights in Cuba
Miami, Florida
www.fhrcuba.org

ISBN-13: 978-1-7339274-0-6
ISBN-13: 9781733927406

Índice

Agradecimientos

Este trabajo ha sido posible gracias a la información recopilada tanto de fuentes públicas como confidenciales, muchas de las cuales fueron obtenidas directamente en Venezuela por un grupo de periodistas e investigadores académicos que no mencionamos por razones de seguridad. Igualmente incorpora la información privilegiada de altos oficiales venezolanos que compartieron generosamente sus conocimientos y dieron testimonios a los autores, entre los que destacan el general venezolano **Antonio Rivero** y el coronel, también venezolano, **Julio Rodríguez Salas**. No menos importante para la realización de este informe fue el minucioso trabajo de investigación en Internet realizado por **Luis Domínguez** que aportó fotos, videos y antecedentes personales de algunos de los principales oficiales cubanos investigados.

El trabajo de investigación fue apoyado por **Hugo Achá**, un reconocido experto en temas regionales de defensa y seguridad con sede en Washington D.C. quien también contribuyo su información e ideas en el proceso de redacción.

Los autores del informe tuvieron también el beneficio de poder acceder y nutrirse de las opiniones de otros distinguidos expertos en defensa y seguridad. En especial de los trabajos de **Carlos Sánchez** –quien fuera ministro de defensa e interior en Bolivia y hoy dirige en Instituto Interamericano para la Democracia– y de destacados académicos estadounidenses como el experto en seguridad regional **Douglas Farah.**

Estamos también en deuda con todos aquellos que anteriormente han publicado libros, ensayos, artículos o hecho presentaciones sobre estos temas y cuyos nombres sería imposible citar de manera completa aquí.

Por supuesto, los autores del presente informe asumimos la responsabilidad exclusiva por nuestras conclusiones.

Esta investigación ha sido posible gracias al apoyo de la Fundación para los Derechos Humanos en Cuba.

Cubazuela: conclusiones

¿A qué nos enfrentamos en Venezuela?

Venezuela es un estado fallido controlado por un grupo criminal vinculado al narcotráfico y al terrorismo transnacional. Ese grupo ha usurpado las instituciones, desmantelado la democracia, arrebatado la soberanía al pueblo, e instaurado un régimen de terror. Comete de forma continuada crímenes de lesa humanidad, como son la tortura y el genocidio por la actual hambruna y desastre humanitario que azota a la población. La inseguridad ciudadana sumada a la represión política ha dejado en 2018 más de 24.000 muertes violentas –sin contar los miles que han muerto de desnutrición y por la falta de medicinas– equiparándose en el mismo periodo a la suma de las ocurridas en Afganistán, Siria e Irak. El éxodo de tres millones de personas es comparable al de Siria. Una catástrofe regional fabricada.

Ha entregado la independencia nacional a Cuba que ha establecido allí un modelo moderno de dominación colonial. También ha cedido territorios a grupos criminales extranjeros (FARC, ELN, Hezbollah) en los que se han instalado laboratorios para la producción de drogas. Desde Venezuela el ELN dirige su lucha armada contra el estado colombiano y planifica acciones terroristas como el reciente atentado contra la academia de policía en Bogotá. Las drogas producidas de forma masiva en esos territorios son luego traficadas a países, como Estados Unidos y algunos miembros de la Unión Europea, donde cada año mueren personas por su uso y donde las bandas distribuidoras contribuyen a elevar los índices de criminalidad. El narco estado es también responsable del éxodo masivo de más de tres millones de personas que hoy desestabiliza la región económica y socialmente, y genera el peligro de una pandemia.

La situación en Venezuela, por lo tanto, no tiene precedentes. No estamos en presencia de un estado independiente y soberano que controla el territorio nacional, protege el bienestar y seguridad de sus ciudadanos y vive en paz con sus vecinos. Las instituciones del estado han sido transformadas en ejecutoras de una empresa criminal.

¿Qué instrumentos tiene la comunidad internacional frente a esa situación?

El caso de Venezuela no puede ser analizado desde la perspectiva tradicional de los derechos que asisten a un estado independiente y soberano.

Las normas internacionales que corresponde aplicar en este caso son:

- las de la Convención de Palermo contra el crimen transnacional organizado de Naciones Unidas,

- la resolución adoptada por la Cumbre Mundial de esa organización en 2005: la Responsabilidad de Proteger,

- lo estipulado en el Artículo 51 (Capítulo VII) de la Carta de Naciones Unidas sobre el derecho de todo estado a la defensa individual o colectiva frente a agresiones armadas de otro país.

Frente a ese narco estado en manos de una banda criminal es legítima la defensa armada, individual o colectiva, por parte de los estados agredidos. Como establece el Artículo 51 (Capítulo VII) de la Carta de Naciones Unidas: *Ninguna disposición de esta Carta menoscabará el derecho inmanente de legítima defensa, individual o colectiva, en caso de ataque armado contra un Miembro de las Naciones Unidas, hasta tanto que el Consejo de Seguridad haya tomado las medidas necesarias para mantener la paz y la seguridad internacionales.* Las acciones individuales y colectivas de defensa no requieren la autorización previa del Consejo de Seguridad.

En lo inmediato debe priorizarse por la comunidad internacional todas aquellas operaciones que se dirijan a detener el acceso de ese grupo criminal a nuevos recursos financieros y de armamentos, interceptar los cargamentos aéreos y/o navales, medios y vías que emplea en el tráfico de drogas, neutralizar la presencia y operaciones desde territorio venezolanos de los grupos narcoterroristas y abrir un corredor humanitario protegido para llevar alimentos y medicinas para que sean repartidos directamente a la población del modo que disponga el gobierno constitucional que dirige el presidente interino Juan Guaidó.

¿Se corre el riesgo de internacionalizar el conflicto?

El conflicto venezolano se internacionalizó desde hace décadas cuando este grupo criminal permitió la presencia no solo de los citados grupos irregulares narcoterroristas, sino también la de una fuerza injerencista e intervencionista cubana. La invasión cubana ha fluctuado entre 25.000 y 50.000 asesores militares, de inteligencia, contra inteligencia, seguridad personal y represión policial, así como un nutrido grupo de civiles en funciones de proselitismo político, influencia ideológica y reserva militar. Dichos civiles tienen entrenamiento militar suficiente para reagruparse como unidades armadas de apoyo en caso de que de que así se les ordene. Esta fuerza invasora supervisa los sistemas de inteligencia, los brutales grupos paramilitares (como los Colectivos y las FAES), los centros de interrogatorios y torturas, los sistemas de espionaje electrónico, así como instituciones dedicadas a labores de influencia ideológica.

Al intervencionismo militar cubano se ha sumado recientemente la presencia militar rusa con los anuncios de que Moscú establecerá una base militar, los envíos de armas, la visita de bombarderos nucleares y la presencia de algunas tropas y altos oficiales.

¿Debe excluirse el uso de la fuerza e incluso la amenaza de uso de la fuerza para limitarse a trabajar en una solución política negociada?

Para obtener éxito en una negociación es necesario que la otra parte se convenza de que no tiene a su alcance una "Mejor Alternativa a un Acuerdo Negociado". Las promesas de amnistía y desbloqueo de cuentas bancarias no son tan persuasivas como preservar la vida. Retirar de la mesa el uso de la fuerza –incluso la amenaza de usarla– solo favorece la reticencia a toda negociación genuina. La pública exclusión previa de esas opciones no contribuye a crear incentivos para que el ejercito reconsidere su lealtad al actual régimen criminal.

a) **No es posible llegar a un acuerdo negociado con el régimen venezolano sin hacerles sentir miedo creíble a las consecuencias de su rechazo.** Tanto Caracas como La Habana (que no puede ser parte de la solución porque es una parte importante del problema) creen que todavía tienen una mejor alternativa: resistir hasta extenuar las presiones externas mientras dividen y finalmente aplastan la oposición.

b) **El uso exclusivo de sanciones económicas no resolverá el fin de la usurpación.** Las sanciones económicas están hasta ahora dirigidas a afectar la economía formal (petróleo y transacciones financieras). Sin embargo, el régimen puede seguir la estrategia de caotización y desgaste seguida por

Bashar al-Assad y relocalizar su "gobierno" en un rico territorio como la Guyana venezolana donde pueda solicitar ser protegido por algunas unidades militares leales, grupos terroristas irregulares, así como por militares cubanos y rusos. Pero la idea de que Maduro puede sostener una guerra prolongada en Venezuela y la región por medio irregulares tiene mas que ver con un mantra de propaganda que con la realidad.

Las principales fuentes de ingreso de la economía criminal solo pueden ser diezmadas de manera eficiente si se realizan operaciones militares y policiales para neutralizar y erradicar los laboratorios, así como interceptar las rutas aéreas y navales del narcotráfico. Solo este tipo de medidas podrá poner fin a la permanente agresión contra otros países que hasta hoy presenta el narcotráfico y la planificación de atentados terroristas desde territorio venezolano. Es una responsabilidad regional colectiva actuar en esas circunstancias, aun cuando un país o una coalición limitada de ellos tienen el derecho de tomar la iniciativa y lanzar una defensa colectiva frente a las agresiones del régimen criminal venezolano.

c) La realpolitik democrática no es igual a la realpolitik de los criminales. La lógica de los criminales no es la de los políticos En circunstancias como estas siempre hay voces que aconsejan prudencia política y apuestan honradamente por apaciguar los instintos agresivos del enemigo. Eso fue lo que intentó hacer Chamberlain, solo para luego descubrir que los nazis eran delincuentes, no estadistas. Venezuela es un *test case* en la actual confrontación geopolítica global. No solo Cuba, Rusia, Irán, Corea del Norte y otros están muy atentos. La posible caída de Cubazuela representa un *game changer* entre regímenes autocráticos y las fuerzas de la democracia a escala mundial solo comparable al provocado por la caída del muro de Berlín.

La gravedad de tomar hoy la decisión correcta recuerda un viejo adagio: "Todo lo que hagas puede matarte, incluido no hacer nada".

Cubazuela:
modelo cubano de dominación colonial

Sumario Ejecutivo

1) **La crisis de Venezuela es en ocasiones analizada bajo falsas premisas y narrativas**

- Considerar al régimen de Maduro como un "gobierno dictatorial", siendo en la práctica una colonia del régimen totalitario cubano controlada por un grupo criminal transnacional asociado a organizaciones terroristas como la FARC, el ELN y Hezbollah.

- Referirse a Venezuela como un estado soberano, cuando hoy es un estado fallido donde la soberanía fue expropiada por el citado grupo criminal quien ha cedido territorios a grupos narco terroristas y emplea las riquezas nacionales en su favor y de la elite de poder cubana.

- Presentar el caso venezolano como un enfrentamiento entre un gobierno "de izquierda popular y una derecha oligárquica", cuando se trata del desafío sin precedentes que presenta el primer pleno narco estado en las Américas a la gobernanza regional y mundial.

- Minimizar la actual hambruna y escasez de medicinas solo comparable a otros genocidios deliberados como el *Holodomor*, provocado por Stalin en Ucrania.

- Movilizar a la opinión pública contra una posible injerencia e intervención estadounidense en Venezuela, soslayando las que el régimen de Cuba ejerce en ese país desde hace dos décadas con decenas de miles de asesores y expertos militares, policiales y civiles.

- Disuadir a la comunidad internacional de que se abstenga de cualquier uso de la fuerza alegando que generaría un conflicto prolongado con incalculables víctimas, cuando el mantenimiento del actual status quo, solo el pasado año, produjo 23.047 muertes violentas (en comparación con 2.640 en Afganistán en el mismo periodo) –sin contar las miles de muertes como resultado de la hambruna y falta de medicamentos.

- Ocultar los múltiples peligros de seguridad (narcotráfico y terrorismo), demográficos y sanitarios (como resultado de un éxodo masivo mayor que el de Siria) que hoy representa Venezuela a sus vecinos de la región.

2) **El debate sobre el "uso de la fuerza" ha distorsionado esa opción. No todo uso de la fuerza supone el uso de tropas terrestres y ocupaciones prolongadas.**

- La operación de Normandía, ordenada por Roosevelt, no equivale al intento de captura de Osama Bin Laden dispuesto por el presidente Obama, como tampoco la invasión a Iraq ordenada por el presidente George Bush es igual a la operación de desgaste aéreo decidida por el presidente Clinton para detener el régimen genocida serbio. Tampoco se equipara ninguna de ellas al empleo de drones para operaciones aéreas quirúrgicas ni al uso de operaciones encubiertas desde los días de la OSS hasta hoy. El derrocamiento de Noriega –cuando se encaminaba a consolidar un narco estado en Panamá– no supuso una ocupación militar permanente ni enfrentó una guerra civil irregular posterior (pese a sus amenazas en ese sentido). La declaración de zonas de vuelo restringidas (*no fly zones*) para proteger corredores de ayuda humanitaria no es comparable a una declaración de guerra y es una modalidad de acción limitada que puede estar justificada por la letra y espíritu de la resolución de la Cumbre de Naciones Unidas en 2005 sobre *La Responsabilidad de Proteger*.

- Lo que debe decidir el tipo de acción a emplear en este caso depende del paradigma empleado para analizar el problema venezolano. Por una parte, hay una amplia gama de modalidades que han sido empleadas contra estados fallidos, agresivos, criminales o dictatoriales. En este caso hay un amplio margen para la creatividad en la selección de los instrumentos una vez que nos percatamos de que estamos tratando una nueva especie en las relaciones internacionales: el narco-estado pleno. El sueño de Pablo Escobar.

3) **Raúl Castro va a sabotear cualquier negociación que no asegure de alguna manera la continuación de su poder sobre Venezuela, aunque sea bajo otro rostro.** Desde la perspectiva de una *realpolitk* comu-

nista, Venezuela es considerada por La Habana el perímetro de defensa exterior del régimen cubano. Por eso ordenan resistir hasta el final. La caída del narco estado venezolano sería un parteaguas –un *game changer*– regional y geopolítico solo comparable al impacto que tuvo la caída del muro de Berlín para Europa del Este y la URSS. Pero los militares venezolanos no vencerán su miedo si no ven primero una acción decidida de la comunidad internacional que les demuestre –con hechos– que la paciencia con el narco estado y sus aliados cubanos ha terminado

Asegúrese de responder las preguntas correctas y cuídese de la desinformación

Hay un viejo refrán que dice que no se puede encontrar las respuestas correctas si insistimos en emplear preguntas equivocadas. El arte de la desinformación rusa y cubana reside en apropiarse y distorsionar elementos legítimos de nuestra lógica y semántica para manipular su significado, sembrar premisas falsas, y mantenernos distraídos respondiendo falsos dilemas.

Después del desconcierto y momentánea pérdida de la iniciativa que el surgimiento meteórico del actual presidente interino Juan Guaidó ocasionó a las elites de poder en Cuba y Venezuela, estas se reagruparon para organizar su resistencia y contraofensiva a esa nueva amenaza. El nuevo reto demando la organización de una contraofensiva de su parte y para pasar de una posición defensiva a otra ofensiva, recurrieron, entre otras, a su herramienta más eficaz. Ese instrumento vital es la *dezinformatsia*.[1] Un asunto al que la comunidad de inteligencia en los países occidentales están prestando cada vez más atención, en especial después de las elecciones de 2016.

Los instrumentos de la desinformación –ahora reforzados por el advenimiento de Internet y las tecnologías digitales– siempre han sido un conjunto de técnicas que incluyen la promoción de líneas desinformativas que induzcan a expertos y público en general, a adoptar lógicas de análisis alejadas de la realidad y próximas a los intereses de quien las fomenta.

La manipulación de las ansiedades públicas, el lenguaje y las percepciones.

A guisa de ejemplo citamos a continuación una lista –no exhaustiva– de algunos temas que, tratados de forma superficial, distorsionan la percepción y narrativas públicas sobre el caso de Venezuela.

- "Es necesario bloquear la posibilidad de una intervención militar y el uso de la fuerza o amenaza de uso de la fuerza por una potencia extranjera".
- "Hay que respetar la soberanía de Venezuela".

---

[1] La desinformación también procura el desconocimiento o ignorancia de ciertos asuntos evitando la circulación o divulgación del conocimiento de datos, argumentos, noticias o información que no sea favorable a quien desea desinformar.

- "El estado y gobierno venezolanos están amparados bajo las normas internacionales".
- "El uso de la fuerza generaría la internacionalización de la crisis interna venezolana".
- "La *autoproclamación* de Guaidó por la oposición como presidente interino equivale a un intento de golpe de estado contra el gobierno electo de Maduro y sus instituciones estatales".
- "La crisis de Venezuela refleja los planes del imperialismo y la derecha por aplastar un gobierno popular y progresista".

¿Son estas las preguntas y premisas sobre las cuales debe basarse el análisis de la situación? Veamos.

- **La injerencia y la intervención militar extranjera y el uso de la fuerza existen desde hace casi dos décadas en Venezuela.** Son de origen cubano. Pero además, ¿no es acaso a Nicolás Maduro al que habría que exigirle que cese de inmediato el uso de la fuerza militar y paramilitar, bajo asesoría cubana, contra la ciudadanía?

El debate sobre emplear o no la fuerza en el caso de Venezuela tiene que partir de que ya existe hace dos décadas y es de origen cubano. Por otro lado, la pregunta sobre si una persona acepta o no el uso de la fuerza en Venezuela excluye la compleja gama de variantes que bajo esa denominación existen.

El empleo de la fuerza va desde una invasión en gran escala (Normandía, Irak) a una maniobra relámpago y quirúrgica (Panamá), a operaciones aéreas sin uso de fuerzas terrestres (como la ordenada por el presidente

Clinton en Sarajevo), a la creación de corredores de ayuda humanitaria con espacio aéreo protegido (*no fly zones*), a operaciones comando para la captura, extracción o liquidación de enemigos (Bin Laden), y muchas otras acciones de naturaleza policiaca o encubierta tales como la intercepción de naves dedicadas al tráfico de drogas o el uso de drones para eliminar elementos criminales.

Equiparar el uso de la fuerza solo a acciones en gran escala con desembarcos y ocupaciones prolongadas solo tiene el propósito de confundir a incautos y neutralizar a los que desean alguna acción decisiva para sacar del poder a una pandilla de facinerosos que no se marcharán por voluntad propia.

- **La soberanía de Venezuela –que radica en el pueblo– fue "expropiada" por la alianza entre Chávez y Castro**, por lo que requiere ser primero *rescatada*. De lo contrario estaríamos respetando la soberanía de un grupo criminal transnacional. Por otra parte, desde los juicios de Nuremberg (1945-1946), la Declaración de Derechos Humanos (1948), la creación de la Corte Penal Internacional (1998) y la resolución sobre Responsabilidad de Proteger adoptada por la Cumbre de Naciones Unidas (2005) se sabe que *toda* soberanía está limitada. La soberanía no cubre ya la libertad de realizar crímenes como los cometidos por los nazis con el Holocausto o por Stalin al provocar deliberadamente la hambruna en Ucrania. Nadie puede invocar la protección de la soberanía de Venezuela para impedir la reacción mundial contra el genocidio que supone la hambruna y falta de medicinas en aquel país.

- **Venezuela es un narco estado al que puede aplicarse la Convención de Palermo de Naciones Unidas.** Transformar las instituciones estatales en una empresa criminal ya ha tenido un dramático impacto. Según el Observatorio Venezolano de Violencia, en 2018 murieron 23.047 de forma violenta −en ese periodo Naciones Unidas reportó 2.640 personas muertas de forma violenta en Afganistán−, hay un éxodo de cerca de tres millones de ciudadanos.

  La hambruna y desamparo médico se han tornado masivos mientras el gobierno, de forma deliberada, ignora la crisis e incluso en febrero bloqueó la entrada de toneladas de ayuda humanitaria al país. El derecho internacional lo que ampara en estos casos es la acción multilateral humanitaria −incluyendo el uso de la fuerza de hacerse necesario. La *responsabilidad de proteger* (R2P o RtoP) es un compromiso político global adoptado por las Naciones Unidas en la Cumbre Mundial de 2005. Sus cuatro objetivos clave son, precisamente, la prevención del genocidio, crímenes de guerra, limpiezas étnicas y crímenes de lesa humanidad. El narco estado venezolano ha incurrido en todas.

- **La represión con grupos paramilitares.** Hace dos décadas que el grupo que ha estado controlando el estado venezolano viene haciendo uso de la fuerza –y auspiciando a grupos paramilitares afines para que la empleen– contra ciudadanos pacíficos. Por otra parte, la masiva presencia de fuerzas de Cuba, las FARC, el ELN, Hezbollah y otros grupos, -así como las provocaciones rusas con su presencia militar, y sus envíos de armamentos a este represivo y violento país-, *hace mucho tiempo que internacionalizaron el conflicto.*

- **Juan Guaidó fue *elegido* presidente interino por la Asamblea Nacional según lo prescribe la constitución vigente** que fue redactada y aprobada en época de Hugo Chávez. Guaidó no se "autoproclamó" presidente. Es el presidente interino según esa Constitución. La comunidad internacional y las legítimas instituciones venezolanas como la Asamblea Nacional y el Tribunal Supremo de Justicia, advirtieron que para las últimas elecciones se preparaba un proceso fraudulento y anticonstitucional, por lo que no aceptarían sus resultados. Al insistir Nicolás Maduro, bajo asesoría cubana, en llevarlo adelante destruyó el último viso de institucionalidad democrática que quedaba al país. En tales circunstancias lo que dispone la constitución vigente es que la Asamblea Nacional elija a un presidente interino que convoque a elecciones tan pronto existan las condiciones necesarias para ello.

- **Esto no es asunto de izquierdas *versus* derechas.** El grupo que opera las instituciones del estado venezolano es de naturaleza criminal transnacional; no es de naturaleza política ni se guía por una ideología (aunque tenga un discurso ideológico para justificar sus acciones). Es un grupo criminal, vinculado al narcotráfico transnacional, al lavado de dinero a escala mundial, aliado y financiero de grupos terroristas como las FARC, el ELN y Hezbollah que cuentan con santuarios en su territorio, desde donde se planifican y cometen actos criminales y terroristas contra naciones vecinas. Por lo demás, la única fuerza que ha manifestado hasta hoy y con absoluta claridad sus acciones imperialistas y coloniales contra el pueblo venezolano es el régimen castrista de La Habana.

El modelo colonial cubano

Definición y funciones del estatus colonial de Venezuela

Cuando un estado cede a otro el control de sus sistemas militares y de inteligencia, el formato ideológico de sus medios noticiosos, educativos y culturales, el control de aduanas, registros ciudadanos, emisión de documentos oficiales de identidad, sistemas electrónicos para el registro y conteo de votos electorales y otras áreas claves, para terminar transfiriendo gratuitamente sus recursos naturales (por decenas de miles de millones de dólares) y compra petróleo a otros productores para cumplir su cuota de entregas a ese otro país –a pesar de carecer de las cantidades

26

imprescindibles para atender sus propias necesidades–, puede decirse que estamos en presencia de algún tipo de moderna dominación colonial.

El excomandante de una de las fuerzas principales del Frente Farabundo Martí de El Salvador, Joaquín Villalobos, argumentó en un artículo publicado recientemente por el *El País* en Madrid, por qué considera a Venezuela una colonia cubana:

> "El colonialismo básicamente consiste en control político, militar y cultural, gobierno títere y una economía extractiva. Fidel Castro, instrumentando a Chávez, logró conquistar Venezuela. Definió el modelo de gobierno; alineó al país ideológicamente con el socialismo del siglo XXI; reorganizó, entrenó y definió la doctrina de las Fuerzas Armadas; asumió el control de los organismos de inteligencia y seguridad; envió cientos de miles de militares, maestros y médicos para consolidar su dominio político; estableció la Alianza Bolivariana de los pueblos de América (ALBA) para la defensa geopolítica de su colonia; escogió a Maduro como el títere sucesor de Chávez y estableció una economía extractiva que le permitía obtener hasta 100.000 barriles de petróleo al día para sostener su régimen". [2]

---

[2] *El País*, 2/22/2019. Disponible en:
https://elpais.com/internacional/2019/02/20/america/1550691005_971416.html

Cuba: el estado *"jinetero"* (*proxeneta*) y su colonia "Cubazuela"

Fidel Castro encontró desde temprano, en la década de los sesenta, una manera de poder recibir recursos ilimitados de sus aliados internacionales –sin nunca pagar un centavo– para estabilizar su poder político pese a dirigir un sistema económicamente insustentable. La URSS y los países de Europa del Este le proporcionaron recursos por un valor equivalente a varios planes Marshall.[3]

Castro –ayer Fidel hoy Raúl– daban a cambio facilidades logísticas para instalar bases avanzadas con sistemas de escucha electrónica, así como servicio a aviones y flotas de guerra, aportaban información de sus servicios y redes internacionales de inteligencia (todavía considerada entre las mejores del mundo), sobre Estados Unidos, pero también de otros países. La Habana también podía ofrecer sus servicios militares con capacidad de proyección internacional de la fuerza militar cubana –oficiales y tropas– ha-

---

[3] "Tras la desolación de la guerra, Europa pudo reconstruirse gracias a los 13 mil millones de dólares que a través del Plan Marshall se le concedió entre 1947 y 1952. Sin embargo, el gobierno cubano llevó al país a su bancarrota actual tras casi treinta años de subsidios que ascendían a más de 4 mil millones de dólares anuales, sin contar en esa cifra las facilidades de pago y comercio que las naciones socialistas otorgaban a la isla, sin contar toda la ayuda extra que recibía Cuba de otros países socialistas miembros del llamado Consejo de Ayuda Mutua Económica (CAME) y sin contar, entre otros ingresos, los altos alquileres para instalaciones militares y de inteligencia, por ejemplo, los 200 millones de dólares que pagaba Rusia cada año por la renta del Centro de Radares Lourdes en Pinar del Río". Disponible en:
https://www.dw.com/es/qu%C3%A9-se-hizo-del-subsidio-sovi%C3%A9tico-a-cuba/a-17786647

cia otras regiones del mundo (África, Oriente Medio, Asia, ahora con Venezuela, América Latina), así como de organizar campañas de desinformación e influencia favorables a los intereses de sus clientes.

Nunca fue con la exportación de azúcar y otras materias primas que el régimen de los Castro pudo sostenerse en el poder. Por esa razón la caída de la URSS y Europa del Este representó un golpe a su principal fuente de sustento económico: la Guerra Fría. Sin un conflicto en el cual injerirse e intervenir, sin aliados estratégicos, carentes de una confrontación geopolítica en la encontrar clientes de sus servicios guerreristas, el régimen de Castro, a inicios de los noventa, parecía condenado a una caída inexorable. Y en eso apareció Hugo Chávez.

Desde 1959 Fidel Castro (y la URSS) tenían sus ojos puestos en Venezuela. Al inicio Fidel Castro quiso reproducir su esquema guerrillero en Latinoamérica (no solo en Venezuela, sino también en Guatemala, El Salvador, Nicaragua, Colombia, Perú, Bolivia, Argentina, Uruguay, Brasil, entre otros). En el caso venezolano comenzó con invasiones de sus mejores oficiales del Ministerio del Interior de Cuba en las que también participaron oficiales de alta graduación de las Fuerzas Armadas de la isla –como Arnaldo Ochoa y Raúl Menéndez Tomassevich– y en las que otros, como Antonio Briones Montoto, perdieron la vida. Pero si lo más espectacular eran esas incursiones armadas, menos visible –y mucho más fructífero en el largo plazo– fue el discreto y paciente trabajo de influencia y reclutamiento de agentes, desarrollado por Cuba durante décadas al interior de las fuerzas armadas, medios periodísticos, culturales, académicos y estudiantiles de Venezuela.

Antes de que surgiera Chávez ya Cuba había contribuido a fomentar las ideas del marxismo y sentimientos antiimperialistas que le ofrecerían al coronel golpista tierra fértil para explotar las debilidades del sistema político y económico venezolano, y promover sus ambiciones personales.

Chávez no fue un accidente histórico. Pero su ascenso al poder llegó en medio de la crisis existencial más grave que hubiera enfrentado hasta entonces el poder castrista en la isla. Apoderarse del destino de Venezuela ya no era un lujo sino una necesidad de supervivencia para su poder en la Isla.

En *El Nuevo Herald* [4] el destacado periodista cubano Carlos Alberto Montaner evoca el surgimiento intelectual de "Cubazuela":

"Carlos Lage, en diciembre de 2005, dijo en Caracas que Cuba tenía dos presidentes: Hugo Chávez y Fidel Castro. Había surgido "Cubazuela". En ese momento Lage era vicepresidente del Consejo de Estado y del Consejo de Ministros. Era el segundo hombre en Cuba por designación de Fidel. El Comandante le había ordenado que soltara esa perla entre los venezolanos. La idea era, como siempre, de Fidel, pero Chávez estaba de acuerdo. Lage obedeció. Eso significaba, también, que Venezuela tenía dos presidentes: Fidel Castro y Hugo Chávez".

---

[4] Disponible en *El Nuevo Herald,* 24 de marzo 2019

Cubazuela: las dos funciones estratégicas de la colonia cubana

a) Proveer subsidios para poder mantener en Cuba el régimen de gobernanza totalitario y su insostenible economía.

De no haber ascendido Hugo Chávez al poder en Venezuela, Fidel Castro habría tenido que enfrentar una crisis letal o disponerse a flexibilizar el régimen político totalitario para abrirse a reformas muy radicales de mercado para atraer capital inversionista extranjero y de la diáspora. Chávez lanzó un salvavidas a Castro y así ayudo a prolongar la existencia del régimen totalitario que aun sufren los cubanos. Pero eso no era suficiente para Fidel Castro. Para asegurar ese nuevo sostén económico y usar Venezuela de trampolín para expandir su influencia regional y establecer una compleja red transnacional de actividades criminales, tenía que transformarla en una colonia regida por una elite militar corrupta y un gobierno entreguista.

En su artículo "¿Cómo conquistó Cuba a Venezuela?" el destacado pensador y autor venezolano Moisés Naim describe los procedimientos usados por Castro para su masiva injerencia y progresiva invasión a Venezuela.[5]

---

[5] *El País*. Disponible en:
https://elpais.com/internacional/2014/04/19/actualidad/1397936093_048585.html

b) Posibilidad de realizar el outsourcing de tareas sucias y potencialmente peligrosas hacia Venezuela para así externalizar los riesgos directos que ellos suponen a la seguridad nacional cubana.

Para el "estado jinetero" cubano las funciones de su colonia en América del Sur no se limitan, sin embargo, a la obtención gratuita de recursos petroleros y financieros. Hay otras más siniestras y menos visibles.

Una de ellas es la de usar a ese país como *outsourcing* de un conjunto de actividades criminales, además de coincidir con los objetivos geopolíticos de sus más impresentables aliados internacionales, (Rusia, Irán, las FARC, el ELN, Hezbollah). Trasladando a Caracas las conexiones con el narcotráfico y su logística, los entrenamientos y aprovisionamientos de grupos terroristas e irregulares como los antes mencionados (ETA también hizo uso de esas facilidades antes de desaparecer).[6]

Castro pudo "externalizar" los riesgos asociados a ellas –en especial después del escándalo de sus actividades de narcotráfico en 1989– y alejar el peligro potencial de una represalia estadounidense. Incluso logró que Obama le diera un sello de buena conducta y sacaran a Cuba en 2015 de la lista de países que apo-

---

[6] La mejor exposición de las diferentes actividades subversivas, de espionaje, narcotráfico, terroristas y criminales llevadas a cabo por Cuba en concertación con su marioneta venezolana pueden encontrarse en el libro *Chavistas en el Imperio* (2014, Editorial Factual) del internacionalmente reconocido periodista investigativo venezolano Casto Ocando.

yan el terrorismo. Todo gracias a Cubazuela, su colonia suramericana.

La Misión de Cuba en Venezuela y las herramientas de la injerencia

La dominación colonial cubana en Venezuela se enmascara como asesorías, intercambios, y prestaciones de servicios varios. Es por esa razón que cuenta con una variada gama de instrumentos para ejercer su influencia y control en el país, que no se limitan al aspecto militar, aunque ese sea hoy el más importante. En realidad, la injerencia cubana se expresa tanto en el terreno político y militar, como en las áreas económicas, sociales, educacionales, comunicacionales y culturales.[7]

Lo que los cubanos denominan "Misión de Cuba en Venezuela" es un conglomerado de grupos diversos cuya cifra total ha fluctuado –calculada en ciertos momentos entre 25,000 y 50,000 personas– que cumplen misiones diferentes, pero todas complementarias al propósito común: dar apoyo a la dictadura venezolana que a su vez sirve de sos-

---

[7] La abogada y directora de la ONG Control Ciudadano, Rocío San Miguel, estudiosa y conocedora de la Fuerza Armada venezolana ha señalado que la influencia cubana es prácticamente estructural en Venezuela. "Cuba dirige hoy los destinos del país. La sala situacional donde se toman las decisiones estratégicas más importantes, de carácter político y militar, pero también económico y social, está en La Habana", dijo en entrevista al portal Prodavinci al instalarse la Constituyente impuesta por el presidente Maduro.
Una exposición detallada de la masiva y perturbadora injerencia cubana la ha ofrecido también el general venezolano Antonio Rivero.
Ver en: https://www.eltiempo.com/mundo/venezuela/como-iniciaron-los-intercambios-entre-cubanos-y-venezolanos-302636

tén al régimen totalitario de los Castro. Es esa injerencia e invasión cubana en Venezuela la que sostiene a un gobierno tan sumiso a sus dictados como lo fue el del Mariscal Pétain respecto a Hitler.

Moisés Naim, en el citado artículo del periódico *El País* (19 abril, 2014), expresa lo siguiente:

> "Cuba paga todo esto con personal y 'servicios'. Venezuela recibe de Cuba médicos y enfermeras, entrenadores deportivos, burócratas, personal de seguridad, milicias y grupos paramilitares. "Tenemos más de 30.000 cederistas en Venezuela", se jactaba en 2007 Juan José Rabilero, en esa época coordinador de los Comités de Defensa de la Revolución (CDR) de Cuba".

Como se dijo con anterioridad, algunos de los principales instrumentos de injerencia y control colonial en manos de esa polivalente fuerza invasora son las asesorías, las misiones sociales y los intercambios.

Cada asesor, civil o militar, tiene doble función. Por un lado, influye en la cubanización de la institución correspondiente. Por otro es una fuente de inteligencia sobre su "asesorado" vigilando de cerca sus formas de pensar, lujos no justificados, gustos personales, modo de vida, amigos y familiares en Venezuela o el extranjero y otros detalles. Las misiones sociales (como la médica, llamada Barrio Adentro) se trasforma en una antena de vigilancia, proselitismo y coerción política sobre los ciudadanos como reconoció el *New York Times*[8].

Las becas e intercambios de delegaciones bilaterales en cualquier esfera sirven para incrementar en Venezuela una población cubana flotante de agentes para la influencia ideológica y vigilancia, así como para llevar a Cuba a personas de interés de la inteligencia cubana a quienes deseen estudiar de cerca o poner en situaciones comprometedoras que les permitan luego chantajearlas a su regreso a Venezuela.

Estos instrumentos de dominación colonial de la Misión de Cuba en Venezuela pueden resumirse del modo siguiente:

- Asesorías presidenciales para el control del líder.
- Asesorías a altos oficiales para el control de las instituciones militares y de inteligencia.
- Asesorías a ministros y funcionarios relevantes para el control de las instituciones civiles relevantes.
- Misiones de servicios sociales e intercambios civiles como instrumento de influencia y control de la población.

Tal y como descarnadamente expresó en 2007, Juan José Rabilero[9] las decenas de miles de asesores civiles –médicos, instructores deportivos, intercambios académicos, periodísticos y culturales– son instruidos y organizados por la Misión de Cuba en Venezuela para cumplir si-

---

[8] Disponible en *The New York Times,* Marzo 17, 2019
[9] Citado por *El País,* 19 marzo 2014.

multáneamente tareas de recopilación de información, proselitismo electoral e ideológico y reserva militar.

El Talón de Aquiles del modelo colonial cubano

La causa de la actual situación es el modelo colonial traído a Venezuela por la injerencia e invasión cubanas. Son las semillas de autodestrucción de las que viene preñado el modelo cubano de gobernanza. Son los mismos factores que hicieron fracasar y caer los regímenes comunistas de Europa y a la propia URSS. El problema principal que confronta Cubazuela no son las supuestas conspiraciones internas ni el hipotético peligro de una invasión externa, ni tampoco las supuestas injerencias imperialistas.

Los rasgos del comunismo estatista –que Fidel Castro exportó a Venezuela– son los que ahora están haciendo implosionar su colonia suramericana del mismo modo que antes causaron la implosión de la URSS. Entre ellos se destacan los siguientes:

- La estatización y centralización de la economía nacional, destruyendo los incentivos y la productividad del mercado.
- La promoción vertical basada en la lealtad política y no en los conocimientos y méritos profesionales.
- La criminalización de la crítica y la supresión de la libertad de prensa con lo que se impide la retroali-

mentación del sistema para su posible autocorrec-
ción.

- La ausencia de mantenimientos e inversiones en la infraestructura y el parque tecnológico de la economía que termina conduciéndolas al colapso.

- El descalabro del sistema estadístico y contable de costos y ganancias que impide cualquier dirección administrativa eficiente y veraz.

- La desconexión de la moneda con el sistema financiero internacional que ha disparado una inflación nunca vista.

- La corrupción que facilita el traspaso de la inmensa riqueza de la nación a un grupo privilegiado comprometido con el crimen transnacional organizado.

La suma de todos esos factores ha traído como resultado la implantación en Venezuela de los mismos problemas que en Cuba: retraso tecnológico, destrucción del aparato productivo, endeudamiento externo, inflación, improductividad, depreciación de salarios, capacidad de decreciente de adquirir importaciones y el éxodo masivo de profesionales y de la población en general.

La implantación en Cubazuela de un régimen de gobernanza similar al que rige en el totalitario estado isleño, terminó liquidando la estabilidad de esa colonia cubana en América del Sur. Con ello, además, se abre el camino al resurgimiento de una aguda crisis en su metrópoli cubana que evoca el llamado "Periodo Especial" ocurrido al caer la URSS.

Conclusión: *Realpolitik* totalitaria y democrática

Venezuela es el perímetro de defensa, exterior y estratégico, del régimen cubano. Por eso le ordenan desde la Habana resistir hasta el final.

Si los militares venezolanos se deciden finalmente a desafiar las ordenes y la vigilancia que les impone el contingente de oficiales cubanos, el régimen mafioso de Maduro no podría sostenerse por sí mismo. Los grupos paramilitares de los colectivos y FAES podrían en ese caso ser efectivamente controlados y extirpados por las propias fuerzas armadas venezolanas en un plazo breve.

Realpolitik totalitaria

Raúl Castro no va a permitir que se negocie nada que no sea la continuación de su poder sobre Venezuela, si acaso bajo otro rostro. La transición democrática en Venezuela es inadmisible desde su perspectiva *comunista* de *realpolitik*. Por ello se afana en persuadir a sus socios de que no pueden confiar en las promesas de amnistía. Dicho de otro modo: les inculca la idea de que para ellos existe una Mejor Alternativa a un Acuerdo Negociado (MAAN) que consiste en resistir para contener la escalada de las medidas externas hasta extenuar a la oposición y luego pasar a barrerla del mapa.

Les recuerda que fue la propia izquierda la que en mas de un país se apoyó en la transnacionalización de la justicia para perseguir y procesar a los represores de las dictaduras latinoamericanas que inicialmente recibieron impunidad bajo las leyes de "punto final" para facilitar las transiciones democráticas. Quizás también les haya explicado como nadie puede en última instancia protegerlos cualesquiera que sean las garantías que reciban para sus asilos. Lo sabe muy bien. En 1973 su hermano desplegó en territorio argelino y español una operación clandestina para secuestrar en Guadalmina, cerca de Marbella, al exdictador cubano Fulgencio Batista y Zaldívar. La operación se frustró cuando Batista falleció el mismo día que iba a ser secuestrado. Por cierto, el general Ronda Marrero, fue encargado *in situ* de aquella aventura y ahora es uno de los principales asesores de la represión en Venezuela.

Realpolitik democrática

No pocas voces de gobiernos democráticos lamentan lo que sucede en Venezuela, condenan al régimen de Maduro, pero se limitan, a veces incluso con reservas, a aceptar que la acción internacional no puede sobrepasar el uso de sanciones económicas selectivas. Lamentablemente, eso es música a los oídos de Raúl Castro y sus asociados en Caracas. El régimen del narco estado no se interesa por el bienestar de la población y apuesta a que podría sostenerse usando la represión e incluso persuadir a una parte de la población de que sus necesidades son provocadas por el "imperialismo americano".

Los que adelantan que en ninguna circunstancia apoyarían una solución que emplee el uso de la fuerza por temor a abrir la puerta a una ocupación militar extranjera prolongada, parten de una falsa premisa: están desconociendo las múltiples opciones empleadas históricamente para el uso de la fuerza cuando ello se hizo imprescindible. De ese modo, inadvertidamente, refuerzan la lógica de la *realpolitik* comunista de la Habana y Caracas: la Mejor Alternativa a un Acuerdo Negociado es resistir a expensas del tormento de la población. Están contribuyendo, sin proponérselo, a consolidar por muchas décadas más al primer narco estado de las Américas

¿Cuáles serían las consecuencias desestabilizadoras inmediatas que traería a la región semejante concesión? ¿Cuál sería el estímulo inmediato que esa muestra de debilidad daría a Rusia, Corea del Norte, Irán y China –aliados de Cuba y Venezuela– en el tablero geopolítico mundial?[10] ¿Cuántos jóvenes han muerto ya por las toneladas de cocaína que esa mafia ha introducido en Estados Unidos y Europa? ¿Cuántos más tendrían que morir si se consolida este narco estado en América del Sur?

La única realpolitik democrática eficaz es propiciar de manera efectiva la caída del narco estado venezolano. Sería un parteaguas. Ese hecho representaría un *game changer* para la geopolítica regional y mundial solo comparable al impacto que tuvo la caída del muro de Berlín para Euro-

---

[10] A los pocos meses del desastre de Bahía de Cochinos, en que el presidente J. F. Kennedy, con la operación ya en marcha, decidió cancelar el apoyo aéreo a la Brigada 2506, Jruschov comenzó a instalar cohetes nucleares en Cuba. A partir de ese momento, la percepción del Kremlin de que había un enemigo inexperto y vacilante en la Casa Blanca hizo más peligrosa la Guerra Fría.

pa del Este y la URSS. Como ocurrió al Kremlin un par de años después de aquel hecho, es probable que La Habana siguiese el mismo destino que el régimen de Caracas en un lapso relativamente breve.

Si los militares venezolanos se deciden finalmente a desafiar las ordenes y la vigilancia que les impone el contingente de oficiales cubanos, el régimen mafioso de Maduro no podría sostenerse por sí mismo. Pero difícilmente venzan su miedo si no ven una acción decidida de la comunidad internacional que les demuestre –con hechos– que el tiempo del narco estado ha realmente terminado.

El conflicto interno del narco estado venezolano contra su pueblo se internacionalizo hace dos décadas con la injerencia e intervención cubana. Le corresponde a la comunidad internacional decidir si va a ayudar al pueblo venezolano a librarse de ese yugo aun si el precio para ello es tener que usar alguna forma de fuerza, individual o colectiva, a ese fin.

En Venezuela hay una invasión militar, y es cubana

Sumario Ejecutivo

1) La única invasión militar en Venezuela la han consumado en ese país desde hace 20 años, como si se tratara de una fuerza de ocupación colonial, las fuerzas armadas y los servicios de seguridad, inteligencia y contrainteligencia de Cuba.

2) El gradual control cubano de la Fuerza Armada Nacional Bolivariana (FANB) ha sido denunciado por militares venezolanos disidentes como el general Antonio Rivero. Pero Cuba controla además el Servicio Bolivariano de Inteligencia Nacional (SEBI, la Dirección General de Contra Inteligencia Militar (DGCIM), la Guardia Nacional Bolivariana (GNB) y los demás cuerpos armados (FAES) y paramilitares (Colectivos) venezolanos, además de sectores civiles estratégicos de comunicaciones y otros. La conducción de ese proceso está a cargo del Grupo de Cooperación y Enlace (GRUCE), constituido por altos oficiales cubanos y supervisado desde Cuba.

3) La plana mayor del GRUCE y la colonización cubana de Venezuela se apoyan en la élite de las Fuerzas Armadas Revolucionarias y del Ministerio del Interior de Cuba, hasta el rango de General de Cuerpo de Ejército.

4) El GRUCE ha diseñado planes, a ser desarrollados solo por los cubanos en Venezuela, dirigidos a contrarrestar las

43

presiones internas y externas después de la total liquidación de la institucionalidad democrática por el régimen de Maduro.

5) Los cooperantes civiles cubanos son adicionalmente utilizados a discreción por los servicios militares de Cuba en Venezuela cumpliendo, entre otras, tareas de proselitismo, inteligencia y como milicia de apoyo en situaciones excepcionales. También los contingentes civiles como el de los médicos sirven para encubrir a oficiales de inteligencia –como el capturado en Colombia a inicios del mes de marzo de 2019– que no tienen otra formación profesional que no sea en actividades espionaje.

6) Durante las protestas masivas de 2014 y 2017 los cubanos asesoraron una despiadada represión, inédita en Venezuela, que dejó cientos de muertos y miles de heridos y detenidos. El despliegue de terror incluyó a grupos paramilitares formados por delincuentes y manejados por Cuba a través de viejos vínculos como es el caso de Freddy Bernal.

7) Los métodos de inteligencia, penetración, socavación y "neutralización" contra los opositores, militares descontentos y otros sectores que puedan representar una amenaza para el régimen títere de Nicolás Maduro son los mismos que se utilizan en la isla.

8) Aunque las fuerzas cubanas en Venezuela han mantenido un perfil discreto, a medida que aumentan el descontento y las deserciones han reforzado su visibilidad en los cuarteles e incluso con la realización de ejercicios conjuntos con tropas élite de las FAR.

9) ONGs venezolanas y organismos internacionales han denunciado la responsabilidad de cubanos en torturas contra opositores y militares inconformes, tanto en el servicio de

inteligencia SEBIN como en el de contra-inteligencia, DGCIM.

10) Las premisas acerca de que una intervención desde el exterior comprometería la soberanía venezolana son falsas, pues la soberanía de ese país está totalmente comprometida por el poder colonial cubano.

"Hay una intervención, hay una injerencia, una invasión, hay una violación flagrante permanente de nuestro sistema de seguridad y defensa en la cual opera una fuerza militar extranjera que mantiene sometida nuestra soberanía de Estado", declaró meses atrás en una entrevista con *Diario Las Américas* el general de brigada venezolano en el exilio Antonio Rivero, una voz valerosa que exponiéndose en la línea de fuego denunció en su oprimido país, con documentos, fotos y videos, la gradual invasión cubana de Venezuela.

Ahora el gobierno ilegítimo de Nicolás Maduro y sus manejadores de La Habana tratan de desviar la atención agitando el fantasma de una invasión de EE.UU. Pero la invasión de Venezuela cumple casi dos décadas y no se fraguó en Washington, sino en La Habana. Ese cáncer silencioso empezó a minar la soberanía y las instituciones de Venezuela desde antes de las elecciones que llevaron al poder a Hugo Chávez, y hoy alcanza un grado de metástasis calculado para que La Habana no pierda los vitales suministros de energía y dólares que le siguen llegando puntualmente desde el desangrado país suramericano.

Los venezolanos no han visto divisiones de soldados cubanos en sus calles, pero están convencidos, y militares disidentes lo han confirmado, de que los cubanos están detrás de la represión de las manifestaciones, del espionaje a opositores y ciudadanos sospechosos de deslealtad, del apuntalamiento y seguridad de Nicolás Maduro, y de la contra-inteligencia que atemoriza o purga a los militares inconformes.

Venezuela tiene dos veces el tamaño de California, y es el país número 41 del mundo por cantidad de habitantes con más de 32 millones; los invasores cubanos son unos 22.000 según datos recibidos y denunciados por el Secretario General de la OEA, Luis Almagro. Pero se trata de un contingente seleccionado, adoctrinado y entrenado en las diferentes funciones que realizan para garantizar a cualquier costo que Maduro, u otra dócil marioneta escogida en el Palacio de la Revolución, siga preservando el dominio colonial cubano y con ello la perpetuidad del gobierno de La Habana.

Entre esas decenas de miles de cubanos –entre 25.000 y 50.000[11] según el momento, aunque el General Rivero ha calculado hasta 100.000– existe un grupo selecto que fluctúa entre tres y cinco mil especialistas en seguridad, inteligencia y contrainteligencia que han creado una suerte de Ministerio del Interior cubano autónomo dentro de la República Bolivariana de Venezuela, reclutando sus propios agentes e informantes locales e informando en Venezuela sólo a Nicolás Maduro.

---

[11] Disponible en *El País*: "Las relaciones desmedidas". Cristina Marcano. 30 marzo 2014.
https://elpais.com/internacional/2014/03/28/actualidad/1396026665_272257.html

Una parte de ellos son situados como supuestos "asesores" de oficiales y funcionarios de alto rango, cuando su misión principal es ser "controladores" de esas personas, conocer sus ideas, círculos de relaciones, actitudes familiares y otros datos que pueden costarles el cargo si las fuerzas coloniales emiten un juicio negativo sobre su confiabilidad política.

El General de Cuerpo de Ejército Joaquín Quintas Solá supervisa en enero del 2017 la base de La Orchila el ejercicio antimperialista Zamora 200. Le acompaña el segundo jefe del Comando Estratégico Operacional de Venezuela, Almirante Remigio Ceballos.

Por otro lado, también existe un grupo relativamente pequeño, pero frío y violento, que entrena a francotiradores y otros militares, así como a expresidiarios y hampones "patriotas" de los colectivos paramilitares, a apuntar a matar:

a la cabeza, el cuello o el pecho de estudiantes, mujeres o adolescentes desarmados.

En su conjunto, la llamada Misión Cubana en Venezuela constituye una fuerza colonial concentrada en los objetivos principales: extender desde las sombras su control de las instituciones claves del país y deshacerse, en favor de sus intereses y a sangre y fuego si es necesario, de cualquier amenaza presente o potencial al grupo delincuencial que gobierna Venezuela.

Los jerarcas de la isla tratan a Venezuela como una colonia. El exguerrillero salvadoreño Joaquín Villalobos ha explicado en el diario español *El País*[12] por qué Venezuela puede ser considerada una colonia cubana:

> "El colonialismo básicamente consiste en control político, militar y cultural, gobierno títere y una economía extractiva. Los británicos dominaron durante casi un siglo con unos miles de ingleses a India, que tenía 300 millones de habitantes y más de tres millones de kilómetros cuadrados. Fidel Castro, instrumentando a Chávez, logró conquistar Venezuela. Definió el modelo de gobierno; alineó al país ideológicamente con el socialismo del siglo XXI; reorganizó, entrenó y definió la doctrina de las Fuerzas Armadas; asumió el control de los orga-

---

[12] Disponible en *El País*: "Cubanos go home". Joaquin Villalobos. 22 febrero 2019
https://elpais.com/internacional/2019/02/20/america/1550691005_971416.html

nismos de inteligencia y seguridad; envió cientos de miles de militares, maestros y médicos para consolidar su dominio político; estableció la Alianza Bolivariana de los pueblos de América (ALBA) para la defensa geopolítica de su colonia; escogió a Maduro como el títere sucesor de Chávez y estableció una economía extractiva que le permitía obtener hasta 100.000 barriles de petróleo al día para sostener su régimen".

Sin esa provincia cubana de ultramar, eslabón clave de su proyecto imperialista antidemocrático en el hemisferio, Cuba regresaría al caos socioeconómico y la rebeldía popular de los años 90 que puso en peligro el poder de los Castro. Señala Villalobos: "El régimen cubano ha optado porque Venezuela y Nicaragua se destruyan en una inútil estrategia de contención para evitar su propio, inevitable final. Cuba lleva veinte años resistiéndose a una transición mientras sus ciudadanos sufren hambre y miseria".

En consecuencia, a lo largo de casi 20 años los gobernantes de la isla no han escatimado recursos materiales ni humanos, enviando a Venezuela, además de decenas de miles de profesionales, a sus élites militares, de seguridad y de inteligencia, a preparar en la colonia el aseguramiento de su botín frente a legiones de inconformes y hambreados venezolanos, o contra una imaginada invasión desde el exterior, el mismo argumento utilizado por Fidel Castro durante décadas para mantener en vilo a los cubanos. Solo que la única verdadera invasión ha sido la que ha estado entrando todos estos años por los aeropuertos venezolanos, procedente de Cuba, sin pasar por aduanas ni inmigración.[13]

Un testigo excepcional: el general Antonio Rivero

El general Rivero calculó en 2012 que el número de cubanos en el país dedicados a labores de seguridad, inteligencia y contrainteligencia, y defensa, alcanzaba unas 5.600 personas, de ellas, 3.700 funcionarios de sus servicios de seguridad, inteligencia y contrainteligencia, conocidos en conjunto como el G2, y unos 500 militares activos en las bases más importantes del país, cumpliendo funciones de asesoría en áreas estratégicas: inteligencia, armamento, comunicaciones e ingeniería militar. También, en el área operativa y en el despacho del ministro de la Defensa, que cuenta con un asesor cubano permanente con grado de general.

Según el alto oficial, la primera presencia de cubanos en Venezuela ayudando al chavismo se remonta a 1997, cuando 29 agentes encubiertos se establecieron en Margarita y ayudaron a Hugo Chávez en su campaña electoral, de 1998 en tareas de inteligencia, seguridad e informática.

---

[13] Disponible en *El País*: "Cable sobre cómo los servicios de inteligencia cubanos tienen acceso directo a Chávez". 30 noviembre 2010.
https://elpais.com/internacional/2010/11/30/actualidad/1291071636_850215.html

Sin embargo, el primer grupo permanente de militares cubanos en Venezuela no pasaba de una decena, y llegó alrededor de 2002 para reforzar la seguridad del presidente Chávez. Desde el principio tuvieron más autoridad que sus pares de la seguridad presidencial venezolana. En una entrevista con la Fundación para los Derechos Humanos en Cuba (FHRC) el general Rivero, quien fuera amigo personal de Chávez, e incluso planeara una eventual fuga suya de la prisión donde fue encarcelado tras el intento de golpe de Estado de 1992, pasó un tiempo en el Palacio de Miraflores en los primeros años de aquel en el poder, instalando un proyecto de comunicaciones. Recuerda que dos mujeres cubanas de ese grupo empezaron a determinar, con el beneplácito del presidente, adonde podía ir el mandatario y adonde no.

El General de Brigada venezolano Antonio Rivero colgó el uniforme en el 2010 para denunciar la intromisión cubana en la Fuerza Armada Nacional Bolivariana

"Patria (Socialismo) o Muerte"

En el primer sexenio de Chávez, luego de una encomiable gestión de la respuesta a las trágicas inundaciones y deslizamientos de tierra ocurridos en el estado Vargas en diciembre de 1999, el General Rivero fungió como un exitoso director de Protección Civil de Venezuela. "Conocí y mantuve una relación profesional con Ramón Pardo Guerra (General y jefe del Estado Mayor de la Defensa Civil de Cuba). Como director de Protección Civil estuve tres veces en la isla, dos por desastres y una por una conferencia iberoamericana sobre el tema".

Pero Rivero tomaba distancia del rumbo socialista del chavismo, se negaba a apoyar con suministros de agua las marchas y manifestaciones del partido creado por el comandante, y a que el uniforme de Protección Civil llevara una gorra roja. Y su resistencia se hizo más visible después de la reelección de Chávez en 2006. "Me acabé de convencer cuando dijo abiertamente después de ganar que en 1998 no hablaba de socialismo porque nunca habría ganado".

Pero no fue hasta 2008, después de que Chávez resultara reelecto en los comicios del 2006 que, según Rivero, se suscribieron acuerdos militares secretos entre Cuba y Venezuela y empezaron a llegar de manera regular miembros de alta graduación de las Fuerzas Armadas Revolucionarias de la isla (FAR) para llevar a cabo la cubanización colonial de la Fuerza Armada Nacional Bolivariana.

En ese año se implementa en la FANB el saludo "Patria, Socialismo o Muerte", un remedo del cubano "Patria o Muerte" pero con un claro componente de politización: la palabra "socialismo". Era el año en que a Rivero le correspondía ser ascendido a General de Brigada. Durante la ceremonia presidida por Chávez y transmitida en cadena nacional, solo le dio al mandatario el saludo militar regular. Cinco meses después era cesado como director de Protección Civil y regresado a la Fuerza Armada, en el estado Bolívar. Allí empieza a chocar más frecuentemente con la presencia militar cubana.

> "En septiembre de 2008 me encomendaron elaborar el libro azul enemigo, toda la información militar de Estados Unidos. Antes éramos nosotros los azules, pero ahora éramos los rojos, y Estados Unidos, los azules. Lo primero que me dieron como fuente fue el libro de las FAR de Cuba sobre Estados Unidos. Me fui a investigar para esa misión en la sede de Inteligencia Estratégica del Ministerio de Defensa, y allí me encuentro los informes elaborados en Cuba para adaptar a Venezuela a su doctrina militar de la guerra de todo el pueblo".

En noviembre de 2008 asiste a un curso para unos 40 militares profesionales sobre ingeniería. "Era impartido por dos personas vestidas de civil. Pensé que eran militares nuestros, retirados. Cuando empezaron a hablar me di cuenta de que eran cubanos. Iban a tratar sobre la construcción de túneles. Y lo primero que dijeron fue: 'A partir de ahora todo lo que se diga aquí es secreto de Estado´. Me salí del salón. ¿Cómo me iba a decir un extranjero en mi país lo que es secreto de Estado?".

Luego es citado a una reunión de altos oficiales encabezada por el comandante general del Ejército, Carlos Mata Figueroa:

> "Hablaron de un plan supersecreto, una especie de estrella de cinco puntas, digamos, Ingeniería, Comunicaciones, Logística etc. Cada una de las puntas iba a ser encabezada por un cubano. Mata Figueroa (posteriormente ministro de Defensa) dijo que él había estado en Cuba y que le parecía muy positivo todo eso de los túneles. Luego nos llevaron a visitar sótanos de la Academia Militar donde los cubanos dirigían obras para adaptarlos de modo que se pudieran usar en caso de guerra".

Miembro del GRUCE supervisa túneles en la REDI Occidental, estado venezolano Zulia. Cortesía del Tte. Cnel. Carlos José Montiel López.

De la frontera también sacan al porfiado general, después que durante un acto por el Día de la Independencia al que asistió Chávez se resiste de nuevo a hacer el saludo socialista. Poco después le comunican su traslado: "La nota decía más o menos: 'Excelente general, pero no es un buen revolucionario: no responde al saludo de la Patria'".

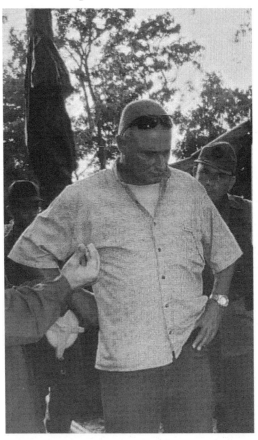

Oficial del GRUCE (siempre visten de civil) supervisa obras de ingeniería estado venezolano Zulia. Cortesía del Tte. Cnel. Carlos José Montiel López.

El General de Cuerpo de Ejército Leopoldo Cintra Frías, (Centro Der.) Ministro de las FAR, es escoltado por su par venezolano, Vladimir Padrino López (Centro).

Luego de consultar con colegas que le confirmaron que la entrega de la Fuerza Armada Nacional a Cuba era autorizada por Chávez, y que no habría apoyo para quien se negara, Rivero planea a fines de 2009 pedir la baja de la institución y hacer públicas sus reservas. Recuerda que solo se lo comentó al hoy ministro de Defensa Vladimir Padrino, y que este le dijo que lo apoyaría.

En marzo de 2010, solicitó su baja del Ejército y el 3 de mayo denunció ante el Ministerio Público la injerencia cubana dentro de la Fuerza Armada Nacional Bolivariana, "la politización y a la pérdida de la instrucción democrática que existe en la FAN".

Rivero reveló que los oficiales de la isla supervisaban los "elementos doctrinales militares a niveles de comando y Estado mayor", y además denunció que para aquel entonces los cubanos ya ordenaban y mandaban en el Comando Estratégico Operacional, en la Ingeniería Militar, en la Inteligencia, en el área de Armamento y en Comunicaciones.

En su programa de radio y televisión *Aló Presidente*. Chávez se refirió al tema[14] "¡Que ridiculez esa, que nos acusan de que los cubanos tienen aquí injerencia en la Fuerza Armada, que eso es traición a la patria", declaró.

Después de la denuncia, a Rivero le fue iniciado un juicio militar, acusándole de ultraje al Ejército y de "revelar noticia privada o secreta en grado de continuidad".[15]

En julio de 2012 presentó una segunda denuncia con fotos, grabaciones y videos en los cuales se muestra al General de División Leonardo Andollo Valdés[16], segundo Jefe del Estado Mayor de Cuba, y otros presuntos militares cubanos, supervisando operaciones militares venezolanas.

En abril de 2013, el general Rivero es acusado de participar en un plan desestabilizador en contra del gobierno, y

---

[14] Disponible en *El Nuevo Herald* "Chavez refuta denuncias de injerencia cubana". 16 mayo 2010 https://www.elnuevoherald.com/ultimas-noticias/article2005303.html

[15] Disponible informe CEPAZ: "Persecución política en Venezuela" Ginebra, junio 2015. https://tbinternet.ohchr.org/Treaties/CCPR/Shared%20Documents/VEN/INT_CCPR_CSS_VEN_20686_S.pdf

[16] Disponible en Martí Noticias: "Denuncian a general cubano en Venezuela". Pablo Alfonso. 5 julio 2012. https://www.radiotelevisionmarti.com/a/cuba-venezuela-antonio-rivero-andollo-/12561.html

días después es detenido en la sede del SEBIN hasta mayo de 2013, cuando sale en libertad condicional.

Para sus denuncias, el alto oficial disidente dice haber contado con colaboradores en las guarniciones, y así ha recibido información sobre los puntos de los acuerdos militares secretos con Cuba, fotos de generales cubanos presidiendo despachos con sus similares venezolanos, lugares de ubicación de los isleños etc. Pero uno de sus argumentos claves trata sobre la creación en 2009 de un comando cubano diseñado para convertir a la FANB y otras instituciones castrenses venezolanas en apéndices de las FAR y el MININT cubanos.

Tras su segunda denuncia a la Fiscalía en julio de 2012 precisó en una entrevista: "Son más de ochenta fotografías que consigné al Ministerio Público y grabaciones que pude escuchar con generales venezolanos, participando en una reunión del Grupo Estratégico Cubano, que se conoce como GRUCE".

Nace el GRUCE

El Grupo de Cooperación y Enlace cubano, también mencionado a veces como de Coordinación y Enlace, o Grupo Estratégico Cubano, ha estado siempre comandado por algún general de las Fuerzas Armadas Revolucionarias (FAR) de Cuba. Sus miembros son fáciles de reconocer en sus reuniones con militares venezolanos: siempre visten de civil.

Los ministros de defensa de Venezuela y Cuba, Vladimir Padrino y Leopolo Cintra Frías respectivamente, durante la firma en 2015 de la renovación de los acuerdos militares secretos.

Según dijo Rivero a la FHRC, el GRUCE estuvo ubicado en la boca del tren del metro de Caracas, línea Valles del Tuy, que sale al Fuerte Tiuna, el más importante complejo militar del país. Luego habría sido trasladado temporalmente a la base militar de la isla caribeña de La Orchila.

En su primera ubicación habría llegado a contar en 2012 unos 300 a 400 efectivos, comparados con 100 a 150 en 2010.

En 2012 "ya estaban organizados como un batallón y estaban repartidos entre unidades de la Guardia Nacional, de la Marina, de la Aviación, aunque con la Milicia (Bolivariana) hicieron un trabajo mayoritario que les permitiera tener 'el pueblo en armas'", un concepto de ejército paralelo que Chávez, sin duda a sugerencia de Castro, venía acariciando desde el 2002.

En abril del 2012 la diputada opositora venezolana María Corina Machado denuncio ante la Asamblea Nacional de su país que el Grupo de Cooperación y Enlace Cubano daba instrucciones ilegalmente a la Fuerza Armada Nacional.

La diputada opositora venezolana María Corina Machado denunció en abril de 2012, un año electoral en Venezuela, la existencia del GRUCE ante la Asamblea Nacional de su país[17]:

> "En la mañana de hoy presenté ante la Comisión de Defensa la solicitud de una investigación inmediata, sobre una situación gravísima planteada en el seno de nuestra fuerza armada nacional. Se trata de la existencia del Grupo de Cooperación y Enlace de la fuerza armada revolucionaria de Cuba, que está operando y dando instrucciones, ilegal, inconstitucionalmente en nuestra Fuerza Armada Nacional.
>
> Dicho Comando está dirigido por el General de División Ermio Hernández Rodríguez de la Fuerza Armada Revolucionaria cubana, y ha intervenido en decisiones absolutamente estratégicas para la seguridad y defensa de nuestro país, comenzando por la modificación de la estrategia de defensa para obligar a instaurar la noción de la guerra popular prolongada, doctrina que es absolutamente ajena a nuestras fuerzas armadas. Adicionalmente este grupo, el GRUCE, integrado por oficiales cubanos, están actuando en áreas claves, como es la aprobación de la adquisición de armamento, como es la formación de nuestros oficiales, tanto en la Escuela Superior de Guerra Conjunta como en las cuatro escuelas tácticas y en las cinco escuelas de oficiales, así como en la modificación de los procedimientos internos, alternando las guías de planeamiento de nuestros componentes militares.

---

[17] Ver video: "Solicitan investigar presuntas actuaciones de grupo cubano dentro de la FANB". Abril 2012.
https://www.dailymotion.com/video/xq1elr#tab_embed

A estos oficiales integrantes del GRUCE, aún más, se les ha entregado armamento. Y ha llegado el caso de que el GRUCE planteó la eliminación de la Región de Defensa Integral Marítima, REDIMA, lo cual fue impedido por la intervención del actual ministro de Defensa".

Ermio Hernández es uno de los dos Generales de División que han sido escogidos por Fidel y Raúl Castro para asegurar el control militar de Venezuela como parte de la invasión cubana.

En el año 2014 dos Generales de División cubanos, Leonardo Andollo (izq.) y Ermio Hernández (c.) estaban encargados del Grupo de Coordinación y Enlace Cubano, el primero desde Cuba y el otro en Venezuela.

El general de división Ermio Hernández Rodríguez fue el jefe del GRUCE cubano.

Un informe independiente de 2012[18] sobre los militares cubanos en Venezuela precisaba que Hernández era "ase-

_____

[18] Disponible en blog Apuntes de una periodista: "General Alejandro Andollo Valdez, el general cubano que debe aplastar rebeliones… en Venezuela". 30 diciembre 2012.

sor de la Sala Situacional de Miraflores. Experto en operaciones urbanas; en manejo de situaciones de crisis. Asesor del CEO (Comando Estratégico Operacional) y con sede en la JEM (Jefatura del Estado Mayor) de la II División en Fuerte Tiuna. Maneja la Orden de Operaciones para enfrentar (incluyendo empleo de las Milicias) situaciones de desorden civil".

Seguía siendo jefe del GRUCE en 2014 de acuerdo con un testimonio brindado en agosto de 2016 ante la Comisión de Defensa de la Asamblea Nacional venezolana por el vicealmirante Pedro Miguel Pérez Rodríguez, excomandante de la Infantería de Marina de la Armada.

Detalló Pérez Rodríguez que, en 2014, cuando se iniciaron las protestas en contra del Gobierno, le correspondió a él presentar ante el CEO, comandado entonces por el general y actual ministro de Defensa Vladimir Padrino López, el "concepto de empleo de la Infantería de Marina". La exposición en las llamadas reuniones de Estado Mayor fue ante un grupo de oficiales mayoritariamente cubanos.

El testigo precisó que el oficial que atendía las reuniones sobre la doctrina militar era el jefe del Grupo de Cooperación y Enlace (GRUCE) cubano a nivel estratégico con la FANB. "En ese momento era el general de División Ermio Hernández Rodríguez". Ermio Hernández Rodríguez era en ese momento, cuando yo estaba activo, el jefe del GRUCE cubano a nivel estratégico con la Fuerza Ar-

http://angelicamorabeals.blogspot.com/2012/12/andollo-valdez-el-general-cubano-que.html mada, y era el que atendía ese tipo de reuniones donde se planteaba todo lo que es la doctrina militar. Otro oficial era un hombre que había sido director de la Escuela Naval de Cuba (probablemente el contralmirante Luis González Navarro)".

En entrevista con la publicación *El Estímulo* el exjefe de infantes de marina acotó que en el seno de la Fuerza Armada Nacional Bolivariana (FANB) ha habido rechazo al concepto cubano. Explicó que desde La Habana ha habido un proceso "sistemático programado de desmoralización y de destrucción de la institucionalidad del cuerpo".

"Poco a poco (se) van metiendo en la región, tratando de cubanizar el modelo venezolano a un modelo de base guerrillera, de guerra de cuarta generación, de la guerra del pueblo, un ejército que está dividido en regiones militares que son compartimientos estancos, muy diferente al pensamiento militar venezolano", explicó.

General cubano Ermio Hernández

Nacido en Guayos, provincia cubana de Sancti Spíritus, Ermio Hernández comenzó su carrera militar en un batallón de milicias[19], participando en los "peines" contra los alzados anticastristas de la Sierra del Escambray. Luego se quedó como profesional en las FAR y fue movilizado durante la invasión por Bahía de Cochinos. Se especializó en blindados, un conocimiento que perfeccionó en la Unión Soviética y que puso en práctica en las campañas expedi-

---

[19] Ver en Cuba al Descubierto: "¿Quién es el General de División cubano Ermio Hernández...?" 1 abril 2014. http://cubaaldescubierto.com/?p=4952

cionarias cubanas de Etiopía, en 1977, y Angola, en 1986. Fue jefe de las tropas cubanas en Cuito Cuanavale, donde eventualmente estas fuerzas intervencionistas dieron un giro a su favor al enfrentamiento con Sudáfrica en la guerra civil angolana.

Fuentes cubanas dicen que se sumó a los que denigraron al general Arnaldo Ochoa, entonces jefe de la misión militar en Angola. Ochoa, fusilado después de un oscuro proceso por narcotráfico en 1988, tuvo en aquellos momentos una disputa con Fidel Castro en torno a una orden del primero desde La Habana para que hiciera avanzar hacia Cuito Cuanavale, de noche y sin reconocimiento de zapadores, a una brigada de tanques. El cumplimiento de la orden costó la vida al grupo de reconocimiento que encabezaba la columna de blindados, al estallar una mina.[20]

Ermio Hernández reside en el municipio habanero de Playa, en Avenida 41 # 6809 entre 68 Y 70. Su número de teléfono fijo es (537) 202-3840.

General cubano Leonardo Andollo Valdés

El general Rivero presentó en 2012 ante la Fiscalía de su país fotografías de oficiales venezolanos de la Región de Defensa Integral (REDI) Occidental participando en una reunión con el GRUCE cubano. Quien llevaba la voz can-

---

[20] Ver en Cuba en Sucesión. Criterios y Opiniones: "¿Por qué Fidel Castro fusiló a su mejor General?" 13 julio 2013.
https://manchiviri.blogspot.com/2013/07/por-que-fidel-castro-fusilo-su-mejor.html

tante en aquel encuentro era otro general de dos estrellas del entorno militar castrista: Leonardo Andollo Valdés.

El General de División Leonardo Andollo (izquierda con gafas), coordinador con el GRUCE desde Cuba, visita Venezuela en el 2011.

El General venezolano Antonio Rivero presentó ante la Fiscalía de su país esta evidencia de Andollo (abajo izq) presidiendo una reunión con militares venezolanos.

Pero Andollo al parecer se encontraba en Caracas temporalmente en una de sus periódicas visitas de supervisión, pues su misión principal es coordinar desde Cuba con el GRUCE en Venezuela. Esto se haría a través de mensajes encriptados que viajan por el cable submarino de fibra óptica que conecta a ambos países y que fue nombrado Alba-1. Este uso militar podría explicar el misterio de por qué pasaron dos años, después de su llegada a Cuba el 9 de febrero de 2011, sin que el cable fuera utilizado para fines civiles.

Andollo Valdés es uno de los militares catalogados por la FHRC en su página www.represorescubanos.com como "represores de exportación".

Nació en 1945 de padres canarios en la barriada habanera de El Cerro.[21] Fue uno de los fundadores de las organizaciones vecinales de vigilancia y delación Comités de Defensa de la Revolución. Colaboró en el combate a los alzados del Escambray y en 1961 ya pertenecía a la Sección de Ingeniería del Estado Mayor General de las FAR. Fue enviado a la Unión Soviética para estudiar Ingeniería Militar y reforzar sus estudios. Luego integró el contingente de la intervención cubana en la guerra civil etíope. Fue sucesivamente Jefe de Ingeniería del Ejército Occidental; Jefe de la Dirección de Ingeniería Militar; 2do Jefe del Estado Mayor General y actualmente Jefe de la Dirección de Operaciones y diputado a la unipartidista Asamblea Nacional del Poder Popular.

"Él es el encargado de todo el trabajo militar que hacen los cubanos en el país en seguridad y defensa", señala Rivero.

---

[21] Ver en Cuba al Descubierto: "General Cubano que busca esclavizar Venezuela", 11 julio 2012
http://cubaaldescubierto.com/?p=2323&cpage=1#comment-17

Andollo reside en La Habana en Avenida 49 #3622 entre 36 y 42, en el exclusivo reparto Kohly del municipio Playa; el número de teléfono fijo de su casa es (537) 203-1795. Su hija, Deborah Andollo López, es licenciada en cultura física con varias marcas implantadas en el deporte de la inmersión a pulmón. Está casada con un luxemburgués y tiene nacionalidad francesa, reconocida en el pasaporte número 03FE10913.

El General tiene además un hijo que reside en Estados Unidos. Ernesto Ramón Andollo López, nacido en 1971. Se fue de Cuba en 1994 para vivir en Miami, lo cual creo que su padre desde ese momento dejara de hablar con su hijo hasta la intervención de su hija Deborah, quien arregló un reencuentro entre Ernesto y su padre en La Habana en 1997. Ernesto viaja a Cuba a menudo para visitar a su familia, quedándose en la casa de su hermana en Santa María del Mar. Está casado con una estadounidense, Justine Stoddard Andollo. El matrimonio reside en Naples, Florida, y tiene dos hijos, Elena Grace y Marquitos. Ernesto sigue el sueño americano, siendo el dueño de su propio negocio, Ecocrete of SWFL, LLC, el cual abrió en febrero del 2011.

El GRUCE se planifica

Un plan cívico-militar del GRUCE, posterior a la instauración de la ilegítima Asamblea Nacional Constituyente en julio de 2017 y anterior a la también espuria reelección de

Maduro en mayo de 2018, tiene entre sus objetivos "preparar al personal en el dominio de las funciones y misiones a cumplir en situaciones excepcionales". Esto incluye a todos los cubanos enviados a Venezuela, incluidos los cooperantes.[22]

Al centro con camisa a rayas, el General de Brigada Juan Carlos Tamargo Baniela, último jefe conocido del GRUCE. Segundo desde la izquierda, General de Brigada Ramón Alfredo Lausao, jefe de Estado Mayor.

El proyecto, del cual el general Rivero posee una copia, debía ejecutarse entre el 7 y el 11 de diciembre de 2017, pero Rivero cree que el plan, o una actualización de este, se estaría aplicando este año 2019.

---

[22] Disponible en *Diario Las Américas*: "General exiliado detalla plan de acción de militares cubanos en Venezuela". 12 junio 2018.
https://www.diariolasamericas.com/america-latina/general-exiliado-detalla-plan-accion-militares-cubanos-venezuela-n4153245

El plan incluye un organigrama que incluye los nombres de los altos oficiales cubanos —con rangos desde Teniente Coronel hasta General de Brigada— que representan al GRUCE en los Puestos de Dirección de cada una de las ocho Regiones Estratégicas de Defensa Integral (REDI) en que han dividido los cubanos a Venezuela: Occidental, Los Andes, Los Llanos, Central, Capital, Guayana, Oriental y Marítima Insular.

A los Puestos de Dirección se subordinan las distintas misiones de cubanos en la región (médicas, deportivas, culturales, agrícolas, informáticas), siempre encabezadas por un Jefe de Grupo que en varios casos es un funcionario del Partido Comunista de Cuba.

En el llamado Plan de Entrenamiento para la Puntualización y Comprobación de las Misiones de los PD en Situaciones Excepcionales participan los "integrantes de los PDR regionales, estadales 'y personal designado'".

Tiene una sección titulada "Posible carácter de las acciones del enemigo" que parece prever la "situación excepcional" del país rumbo a la liquidación efectiva de la democracia, pero no cuenta para nada con los cuerpos armados venezolanos.

Afirma que el presidente de los EE.UU. Donald Trump "no cesa en su empeño de formular una acción militar contra la RBV (República Bolivariana de Venezuela) justificándose con pretextos de violaciones de DD.HH. y una dictadura madurista".

Identifica además como enemigos a los países de la región y la Unión Europea, y a los líderes de la opositora Mesa de la Unidad Democrática y los partidos pro democracia Primero Justicia, Voluntad Popular y Acción Democrática.

Los presupuestos sobre el "Posible carácter de las acciones del enemigo" estarían ahora en fase de aplicación práctica, como indica una reciente noticia.

El diario colombiano *El Tiempo* reportó el pasado 17 de marzo que Migración Colombia detuvo a un ciudadano cubano, el cual, "según información de inteligencia, estaba adelantando labores de espionaje a la base aérea de Palanquero".[23]

"El hombre, identificado como José Manuel Peña García, pertenecía al G2 cubano y fue detenido a las 8:00 p.m. del viernes en el municipio de La Dorada, en Caldas, una población cercana a las instalaciones militares", agregaba el periódico.

> "Monitoreaba e informaba cómo era el funcionamiento y cómo se movía la base de Palanquero (…) Tenía un equipo que le permitía medir las dimensiones de los aviones y el armamento", añade la información, que precisa que Peña García "llegó en el 2014 a Venezuela, en medio del programa de intercambio de médicos entre ambos países y que,

---

[23] Ver en *El Tiempo*: "Expulsan a espía cubano que rondaba la base aérea de Palanquero". 17 marzo 2019
https://www.eltiempo.com/colombia/otras-ciudades/expulsan-a-espia-cubano-que-rondaba-la-base-militar-de-palanquero-338340

según información que tienen las autoridades colombianas, ha servido como fachada para llevar a miembros de grupos de inteligencia de la isla al país vecino".

En el mencionado plan del GRUCE la base de Palanquero y la de Apiay en Colombia son identificadas como algunas de las que serían objeto de rebasificación de medios aéreos "enemigos", junto con otras en Curazao, Aruba y Trinidad Tobago.

En su perfil de Facebook[24], Peña García dice ser un ingeniero biomédico natural de Santiago de Cuba, y estar casado con Sandra Patricia Ariza. Según el perfil de ella[25], es una médico cirujano del Ministerio del Poder Popular para la Salud (de Venezuela), oriunda del departamento colombiano de Caldas. *El Tiempo* dice que en 2016 Peña se casó en Cuba con una ciudadana colombo-venezolana. Luego no regresaron a Venezuela, sino que se establecieron en La Dorada, Caldas, cerca de la instalación militar.

¿Cooperantes "civiles"?

En la primera mitad de la década del 2000 los Castro contribuyeron al proyecto populista del caudillo venezolano con el envío de decenas de miles de profesionales cubanos destinados a las misiones sociales, incluyendo a maestros,

---

[24] Ver perfil de Facebook de José Manuel Peña García.
https://www.facebook.com/profile.php?id=100009029857395
[25] Ver perfil de Facebook de Sandra Patricia Ariza.
https://www.facebook.com/sandra.p.ariza.75

entrenadores deportivos y asesores en distintos campos, pero sobre todo médicos y paramédicos para la misión Barrio Adentro. "Recibo el cuadro de la presencia cubana en las distintas áreas a través de los convenios", relata Rivero. "De salud, de agricultura, deportivos, de inmigración y extranjería, para hacer las cédulas, los pasaportes...".

A esos cooperantes civiles, muchos de los cuales cuentan con preparación militar y sumaban unos 45.000 según las más recientes cifras oficiales (de mediados de 2012), se les exige que funcionen al mismo tiempo como proselitistas en favor del gobierno chavista, informantes sobre quiénes pudieran ser influidos por los adversarios políticos del chavismo –incluyendo a los mismos cubanos que forman parte de esas misiones– y, llegado el momento, prestarse para ser usados como milicias armadas o tropas de apoyo a favor del gobierno en una crisis.

En previsión de tal circunstancia se les exige tener siempre una mochila lista para reagruparse en un breve plazo como unidades militares en el lugar y momento que lo decida el mando de la Misión de Cuba en Venezuela.

Además de que en Cuba existe un servicio militar obligatorio y universal que en algún momento de sus vidas han pasado los ciudadanos varones, en el caso de los estudios de medicina existe el requerimiento adicional de aprobar un riguroso entrenamiento militar para poder acceder al diploma de graduado. De ellos se espera que trabajen como esclavos y como tales, si fuese necesario, peleen y se inmolen como gladiadores

Para poder graduarse los estudiantes de medicina cubanos necesitan aprobar una exhaustiva catedra militar. Se les exige tener una mochila lista para funcionar, llegado el momento, como tropas de apoyo.

El Capítulo VIII del libro *Cuba: medicina y revolución. Radiografía de un mito* (Eriginal Books, 2014), se titula "Medicina con un fusil al hombro". Allí los autores, los médicos cubanos José Luis Comas y Luis Ovidio González, revelan el doble papel de los cooperantes internacionalistas cubanos como profesionales y como militares:

> "Los estudiantes de Medicina, como los demás, tienen una asignatura programada que se llama Cátedra Militar (…) En un intensivo de tres semanas los estudiantes de medicina rotan por la Cátedra (…) el verdadero objetivo de esta formación (es) graduar a un médico que es a la vez un oficial de las FAR preparado para una acción militar.

Para concluir la preparación militar y pasar del quinto al sexto año de la carrera, el estudiante de medicina tenía que participar durante su periodo vacacional en el llamado concentrado militar (...) solo participaban los estudiantes del sexo masculino. Durante tres semanas, recibían clases teóricas sobre el terreno, que abarcaban (...) cartografía y armas de exterminio masivo, se impartían clases prácticas de infantería, táctica y estrategia militar, así como prácticas de tiro con fusil, pistola y lanzamiento de granadas. Aprobar este concentrado militar era obligatorio, de lo contrario se le negaba al aspirante la graduación al año siguiente y, por ende, el título de médico.

...Cada médico graduado, aparte de su título, recibe a su vez el grado de teniente de la reserva militar del país, lo que significa que cumplen una doble función en cualquier lugar donde se desenvuelvan; incluso están a disposición de los órganos de control, ya sea la contrainteligencia militar o el departamento de seguridad del Estado, que le pueden exigir su colaboración en cualquier tarea que lo requiera. Naturalmente, esta disponibilidad también funciona cuando sale del país en las misiones internacionalistas".

Recuerda el general Rivero que años después, mientras estaba destacado con la fuerza armada en el estado Bolívar (fronterizo con Guyana y Brasil) en lugar de un militar cubano que lo vigilara le asignaron un médico de la misma procedencia "para que cuidara de mi salud. Le vi desarmar un fusil como si fuera un experto".

El general cubano Juan Carlos Tamargo (derecha), el último comandante conocido del grupo GRUCE, recibe una medalla del Jefe de la Fuerza Aérea de Venezuela, el General de División Edgar Valentín Cruz Arteaga.

La Plana Mayor del GRUCE

El documento del GRUCE en poder del general Rivero deja ver claramente la composición de su Grupo de Dirección.

El jefe del comando cubano hasta entonces (2017-2018) era el General de Brigada Juan Carlos Tamargo Baniela.

Tamargo Baniela trabajó en la dirección de Operaciones de las FAR y procede de las unidades de blindados, En 2010 presidía la Comisión Ministerial de Examen del MINFAR. Su número de celular en la isla es (535)

4101659. Vivía en San José de las Lajas (Calle 51 # 10143 E/ 104 y Final). Probablemente reside ahora junto con su hermana, Mercedes Elisa Tamargo Baniela, en la casa de su difunta madre, Bertina Baniela, sita en Pedroso # 12 Bajos e/ Infanta y Cruz del Padre, Carraguao, Cerro, Ciudad de La Habana.

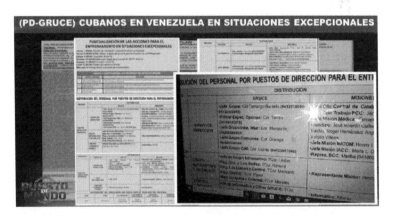

Copia de un plan del GRUCE para situaciones excepcionales en poder del General venezolano Antonio Rivero. En la ampliación de la derecha se lee claramente quienes componen el alto mando del grupo.

La dirección del GRUCE, según el documento en poder de Rivero, está integrada además por el especialista principal en operaciones coronel Torres; el jefe del Grupo de Inteligencia Militar, Coronel Mantecón; y el jefe del Grupo de Comunicaciones, Coronel Quiroga.

Del coronel Nelson Torres se sabe que reside o residió en 76 # 1518 E/ 15 y 17, municipio habanero de Playa, teléfono fijo (537) 209-1323; que está o estuvo casado con Caridad Serrano Pola, una mayor de las FAR, y que con ella tiene un hijo, Vladimir Torres Serrano, nacido en julio de 1981, y que habita en la misma vivienda enclavada en una zona de restaurantes y casas de renta al turismo.

Completa la plana mayor del GRUCE el jefe del grupo de Contrainteligencia Militar, Coronel Quintas, muy probablemente Raúl Quintas Montoro, hijo del general de Cuerpo de Ejército Joaquín de las Mercedes Quintas Solá.

Noviembre 28 de 2016: Miembros de GRUCE en la Embajada de Cuba en Venezuela por la firma de un libro de condolencias por la muerte de Fidel Castro: el general de brigada Juan Carlos Tamargo (2do. desde la izq.); El teniente coronel Liván Luis Manzano (con camisa roja, a la izquierda); El general de brigada Ramón Lausao (4to desde la derecha, con bigote); Especialista en túneles no identificado (séptimo desde la derecha).

En el círculo rojo, Raúl Quintas Montoro, un teniente coronel de la contrainteligencia militar de Cuba. Hijo de General de Cuerpo de Ejército, General Joaquín Quintas Solá, Quintas Montoro es miembro de la plana mayor del GRUCE.

General de Cuerpo de Ejército cubano Joaquín Quintas Solá

Quintas Solá es otro de los "represores de exportación" identificados en su sitio Represores Cubanos por la FHRC. En enero de 2017 el general de cuerpo de ejército y viceministro de las FAR supervisó en Venezuela un ejercicio militar realizado en la base de La Orchila y otros puntos del país llamado "Acción Integral Antiimperialista Zamora 200".

La clave está en la palabra "integral" porque a semejanza de las doctrinas de seguridad nacional de las dictaduras latinoamericanas en la década del 60 este plan, diseñado por los cubanos, identifica a los actores nacionales como el enemigo principal a combatir.

El General de Cuerpo de Ejército Joaquín Quintas Solá, (Centro) en Venezuela durante el ejercicio antimperialista Zamora 200. A su izquierda el General de División Raúl Rodríguez Lobaina, Jefe de Ejército Central de Cuba. A la derecha, de civil, el jefe del GRUCE Juan Carlos Tamargo Baniela, General de Brigada.

Nacido en Santiago de Cuba en 1938, Quintas Solá es miembro de la llamada generación de los históricos, con participación en la lucha contra Batista, primero en la clandestinidad y luego en el Ejército Rebelde en la Sierra Maestra. Luego de la llegada al poder de Castro tomó parte en los cercos contra los alzados en armas en la Sierra del Escambray, cumplió dos misiones en Angola y fue ascendiendo en las fuerzas armadas hasta ser uno de los cuatro Jefes de Ejército de la institución. Es miembro del Comité

Central del Partido Comunista y diputado a la Asamblea Nacional del Poder Popular. Se le ha concedido el Título de Héroe de la República de Cuba.

Quintas Solá vive en 49 # 3415 entre 34 y 36, en el exclusivo Reparto Kohly del municipio habanero de Playa. Su teléfono fijo es el (537) 203-0004.

Su hijo Raúl, recientemente agregado a la dirección del GRUCE en Venezuela, se graduó en Contrainteligencia Militar en la Escuela Superior de las FAR "Comandante Arides Estévez". Ha sido jefe en Cuba de la Unidad de Tanques de Managua, UM-1011, en las afueras de La Habana; jefe de la contrainteligencia de la región militar de Ciudad de La Habana; y segundo Jefe de la CIM del Ejercito Occidental. Reside en 24 #733 entre 39 y 41, en el exclusivo reparto Nuevo Vedado. Estuvo casado con Amanda Rosario Meneses Díaz con quien tuvo un hijo, Camilo Quintas Meneses, un especialista en programas de computadora que vive actualmente en San Francisco, California. Raúl Quintas está actualmente casado con la odontóloga Karen Gutiérrez Muñiz, empleada de la clínica para extranjeros Cira García del reparto Kohly. Tienen dos hijos, Marian y Joaquín.

Fácil de distinguir por su ropa de civil: el General Ramón Alfredo Lausao, (1ro. der. 2da fila) jefe del Estado Mayor del GRUCE participa en el "Ejercicio Antimperialista Zamora 200".

Otros miembros del GRUCE que no aparecen en el plan para situaciones excepcionales son el jefe de su Estado Mayor, general de Brigada Ramón Alfredo Lausao Gallardo, holguinero, jefe en Cuba de la región militar de Camagüey hasta finales del 2016; y el jefe del Grupo de Información y enlace en las regiones venezolanas de Los Llanos y Central, Teniente Coronel de la CIM Liván Luis Manzano Hernández. Manzano vive en Cuba en 23 Edificio LH17, apartamento 60 E/ 308 y 310, en el reparto para militares Barbosa.

Un jefe anterior del comando cubano habría sido el general de brigada (Guillermo Pablo Luis) Frank Yánez.

Carlos Romero, politólogo de la Universidad Central de Venezuela (UCV), citado en 2010 por el diario *El Nuevo*

Herald de Miami, destacó que el general Yánez dirigía por entonces "una misión militar de 20 altos oficiales acantonados en Fuerte Tiuna, con una importante capacidad de mando sobre operaciones de la FAN venezolana".[26]

Según la enciclopedia cubana ECURED[27], "entre 1976 y 1988 Yánez cumplió misiones expresas del Comandante en Jefe Fidel Castro Ruz en países como Angola, Nicaragua, Zambia y Namibia con resultados satisfactorios".

A la derecha el General de Brigada Frank Yánez. Según el politólogo venezolano Carlos Romero, Yánez, especialista en contrainteligencia militar, era el Jefe del GRUCE en el 2010.

Yánez fue posteriormente jefe de la Dirección de Inteligencia Militar de Cuba desde 1999 hasta 2008 cuando, se-

[26] Ver en *El Nuevo Herald*: "Cubanos ocupan cargos estratégicos en Venezuela". Casto Ocando. 6 abril 2010
https://www.elnuevoherald.com/noticias/mundo/america-latina/venezuela-es/article2004312.html
[27] Ver ECURED: "Guillermo Pablo Luis Frank Yanes"

gún los datos oficiales, "es designado a cumplir otras misiones, las que concluye de manera exitosa en abril del 2011". Llama la atención que no se revela como en los demás casos en qué país o países cumplió las "otras misiones" para las que fue designado.

Yánez falleció el 1 de septiembre del 2017. Residía en 21 # 7013 E/ 70 y 72, municipio Playa. El teléfono fijo de su residencia era el (537) 209-3304.

A la izquierda, General de División cubano, Onelio Aguilera Bermúdez, Jefe del Ejército Oriental. Aguilera se dirigía a una reunión entre el GRUCE y oficiales de la REDI Occidental venezolana.

El jefe de la REDI Occidental de Venezuela preside una reunión conjunta con el GRUCE cubano. A su izquierda, de civil, el general de División de las FAR Onelio Aguilera Bermúdez. (Fotos suministradas por el General Antonio Rivero).

Venezuela, laboratorio represivo del G-2

Son continuas las denuncias sobre la presencia en Venezuela del G-2 cubano asesorando y protagonizando labores de inteligencia, contrainteligencia y represión. Menudean los testimonios de detenidos por el llamado Servicio Bolivariano de Inteligencia, SEBIN, que denuncian haber sido torturados o interrogados directamente por cubanos o en presencia de estos.

De hecho, aunque la presencia de los asesores militares y de seguridad isleños en instituciones y dependencias estatales de Venezuela, desde el despacho de la Presidencia y las fuerzas armadas hasta las oficinas de tramitación de cédulas y pasaportes, había sido desde un inicio resentida y denunciada como una entrega de la soberanía nacional por la oposición y la prensa, nunca el pueblo de Venezuela había manifestado un rechazo tan visceral y mayoritario a esa intervención extranjera como después de que se empezaran a conocer los relatos sobre la despiadada represión contra las protestas populares de 2014 y 2017.[28] Una represión sin precedentes en el país suramericano, que los venezolanos han identificado como "Made in Cuba", con la paradoja de que Venezuela ha venido a ser el laboratorio de ensayos de un plan represivo concebido para ser usado en algún momento en Cuba, pero que todavía no ha sido aplicado en la isla.

La presencia en Venezuela de represores cubanos para asesorar contra los manifestantes a la desprestigiada Guardia Nacional Bolivariana y a los elementos delincuenciales de los llamados "colectivos" perseguía conjurar a cualquier costo la peor amenaza enfrentada por el castrismo desde el desplome del comunismo soviético. Durante las dos grandes olas de protesta, la represión puso el acento en violar metódica y públicamente el derecho a la vida, a fin de crear un clima de terror inédito en Venezuela.

El método se trasluce en la fría coherencia con que operaron las fuerzas represivas. El diario caraqueño *El Universal* publicó en 2014 un mapa interactivo (que desde enton-

---

[28] Ver video: "Venezuela: Video Footage Exposes Brutality of Repression". Human Rights Watch. 21 julio 2017. https://youtu.be/8YiQi32ihig

ces ha sido sacado de la Web, aunque el URL existe)[29], con las fotos de los muertos durante las protestas y la manera en que perecieron. El mapa interactivo publicado por el periódico venezolano permite observar los patrones reiterados del asesinato de Estado.

Geraldine Moreno de 23 anos murió tres días después de que un agente de la Guardia Nacional le disparara en la cara una escopeta de perdigones durante las protestas del 2014. Esa ola represiva fue directamente asesorada por expertos cubanos en represión.

Disparos en la cara

• Geraldine Moreno Orozco, de 23 años, fue impactada por uno o dos disparos de perdigones en la cara realizados por un efectivo de la Guardia Nacional Bolivariana, el 19 de febrero, mientras se encontraba en una

---

[29] "Fallecidos durante las protestas en Venezuela", *El Universal*
http://www.eluniversal.com/nacional-y-politica/140224/fallecidos-durante-las-protestas-en-venezuela

protesta en Naguanagua, estado Carabobo. Falleció el 22 de febrero.

- Jimmy Vargas, de 34 años, murió el 24 de febrero de la misma manera, tras recibir un disparo de perdigones en el rostro y caer de un segundo piso en su residencia ubicada en Las Pilas, estado Táchira.

- Juan Carlos Montoya, de 40 años, murió el 12 de febrero tras recibir un tiro en la cara en la Avenida Sur 11 del barrio La Candelaria en Caracas.

Tiros en la cabeza

- Bassil Alejandro Da Costa Frías, 24 años, muere el 12 de febrero de 2014 tras recibir un tiro en la cabeza durante una manifestación en La Candelaria.

- Roberto Redman, de 31 años, falleció el 12 de febrero luego de ser interceptado por un grupo de motorizados armados y recibir un disparo en la cabeza, mientras se encontraba manifestando en la Av. Arturo Uslar Pietri de Chacao.

- Génesis Carmona, la Miss Turismo Carabobo 2013 de 21 años, falleció el 19 de febrero luego de recibir la víspera un tiro en la cabeza durante una marcha en Valencia el 18 de febrero.

- Obviamente, los asesinatos de manifestantes y líderes de la resistencia en las guarimbas (barricadas) se condujeron de una manera muy profesional: disparando al corazón, la cara, el cerebro o el cuello. Un método que se ha evidenciado más recientemente en la Nicaragua de Daniel Ortega y Rosario Murillo, donde los opositores también dan cuenta de la presencia de asesores cubanos.[30]

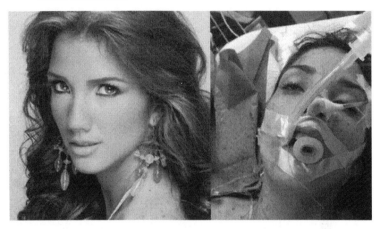

Genesis Carmona, una reina de belleza, fue asesinada por un disparo en la cabeza durante una marcha de protesta en Valencia, Carabobo, en febrero del 2014. Asesores cubanos recomendaron la toma de azoteas para "sacar" a manifestantes de las protestas.

En una entrevista con martinoticias.com en febrero de 2014 el ex embajador de Venezuela en la ONU y actual opositor Diego Arria[31] destacó la crueldad, la metodicidad y la sangre fría desplegadas por la Guardia Nacional contra

---

[30] Disponible en Martí Noticias: "En Nicaragua, Masaya Libre resiste brutal asalto del gobierno de Ortega". Rolando Cartaya. 20 junio 2018
https://www.radiotelevisionmarti.com/a/en-nicaragua-masaya-libre-resiste-brutal-asalto-del-gobierno-de-ortega-/179565.html
[31] Ver en Martí Noticias: "Escuela cubana de represión se extrema en Venezuela". 26 febrero 2014.
https://www.radiotelevisionmarti.com/a/escuela-cubana-de-represi%C3%B3n-se-extrema-en-venezuela/32402.html

los manifestantes, algo que ese cuerpo armado nunca había mostrado.

"Yo he estado hablando con un par de antiguos generales de la Guardia (Nacional) y me dicen que estos son los cubanos, que nosotros nunca hemos tenido una represión de este género, que salgan a matar a estudiantes en la calle, eso no ha pasado nunca en la historia de Venezuela. Ellos asignan esta responsabilidad a grupos de cubanos ahí adentro que son los que ordenan a esta gente. Y salen a matar, no a intimidar ni ahuyentar, es un asesinato", dijo el político, economista y diplomático venezolano.

Reseñó el testimonio de la madre de Geraldine Moreno: "Le dispararon dos veces (una escopeta de perdigones) en la cara. La madre lo cuenta. Incluso cuenta que, de los dos oficiales que iban en la moto uno no quiso. '¿No? ¡Ah, entonces lo hago yo!', y el otro ¡Bum!, fue el que le disparó".

El propio Arria colgó entonces en Youtube una grabación cuya autenticidad no ha podido confirmar, porque no le llegó del autor, sino que pasó por las manos de tres personas. Sin embargo, después de escucharla la encontró creíble y se decidió a publicarla.[32]

La FHRC posee una copia del archivo de audio, aunque varios enlaces colgados en YouTube por otros usuarios han sido invalidados. Una persona con evidente acento cubano instruye a un grupo no identificado (¿paramilitares?

---

[32] Ver video: "Militar cubano instruyendo a la Guardia Nacional cómo reprimir barricadas". 24 febrero 2014. https://youtu.be/VakXS7-WmfY

¿agentes encubiertos del servicio de inteligencia SEBIN?) sobre cómo facilitar que la Guardia Nacional pueda "repeler" las manifestaciones. He aquí la transcripción:

> "...Ciertamente hay espacios que aún no hemos podido tomar, pero es una situación que de momento nosotros podemos controlar. La Guardia Nacional nos está sirviendo de apoyo en ese sentido, y el plan de todo esto es ubicar las manifestaciones en donde se hagan barricadas. Hemos tenido casos en distintas ciudades en donde las barricadas son impenetrables, pero en otros sitios sí hay suficiente paso. Indistintamente, si hay o no hay paso, igualmente la Guardia Nacional puede repeler este tipo de manifestaciones, como ya lo hemos visto en algunos medios.
>
> El siguiente paso es tomar algunas residencias. El porqué de esto es ubicar, tomar algunas azoteas. De algunos edificios, en este caso los más altos, tomar las azoteas e instalar algunos de nuestros hombres para que puedan chequear la zona **y tener un mejor ángulo al momento de nosotros darle seguimiento a la Guardia Nacional**. Porque el caso es que se ha visto que en algunos apartamentos tienden a lanzar gasolina y todo este tipo de material combustible, y en ese caso pueden enfrentarnos, esta gente puede hacer retroceder a la Guardia. Entonces el siguiente paso, como lo estuve explicando yo aquí, es tomar las azoteas de los edificios más

altos para nosotros tener un mejor enfoque y poder guiar a toda la Guardia Nacional desde distintos puntos de la ciudad; para nosotros poder decir: 'Oye por aquí hay gente, por aquí no hay, por aquí te puedes trasladar y por acá no'. Ese es el principal objetivo de esta reunión.

El otro punto por tocar es que las barricadas, ellos no lo saben, pero las barricadas que están haciendo los dejan atrapados. Incluso podemos ver que, dentro de sus mismas filas, la misma gente que los apoya no está de acuerdo con trancar las calles, porque al momento de darle auxilio a un miembro de su gente no hay manera de que las ambulancias ni ningún tipo de vehículo puedan trasladarse hasta donde están ellos. O sea, que ellos mismos están haciéndose una trampa que nosotros podemos aprovechar. Por eso es que la Guardia Nacional entra a estas barricadas, los repele fácilmente y ahí puede volver a salir la Guardia.

En este punto es muy importante, y quiero que tomen nota, es importante que trabajen de manera separada, no trabajen de forma unida, tienen que trabajar de forma separada, por lo que expliqué antes, que al lanzar de cualquier edificio cualquier material combustible le puede caer hasta a cinco y seis personas. En este caso tienen que trabajar de forma separada, aproximadamente 20, 30 metros uno después del otro. Nosotros empleamos esto en

Cuba y logramos sacar gente sin que el resto se dé cuenta. Logramos repeler a ciertas personas que están, vaya, en una actitud bastante violenta, y el otro no se da cuenta. O sea, lo podemos sacar fácilmente de la protesta sin que el resto se dé cuenta, básicamente es eso".

"¿Repeler?" "¿Sacar?" ¿O quiere decir "eliminar"? La referencia a un mejor ángulo desde una azotea y la distancia de emplazamiento entre unos y otros sugieren el uso de francotiradores, los que también se han visto recientemente durante la represión en Nicaragua. Arria señalaba que no era necesario, porque los miembros armados de los "colectivos" y los Guardias Nacionales habían estado disparando sin ocultarse y a quemarropa. Después de todo, disparaban contra civiles desarmados.

"¿Por qué de repente cambian de una manera tan brutal la Guardia Nacional y los SEBIN a atreverse (a disparar) en público, cuando saben que los están filmando?", se preguntaba el ex diplomático. "Y tiros en la cabeza: ¡eso es un asesinato! Ya nosotros estamos comenzando a documentar esto que, realmente, es una política de Estado, reprimir a toda costa".

En 2014 desertó y llegó a Miami el coronel cubano Cecilio Díaz, un especialista en comunicaciones del contingente militar y de inteligencia cubano en Venezuela. Díaz dijo durante una entrevista colgada luego en YouTube[33] que estuvo estacionado en el Fuerte Tiuna.

El ex oficial aseguró que en la represión a las protestas de ese año estaban participando directamente efectivos cubanos con uniformes venezolanos. "Todos están disfrazados de elementos militares venezolanos, porque es la máscara. Es el mismo caso de Angola", dijo. "Cuando fueron para Angola, los cubanos que fueron a combatir iban vestidos como el ejército de Angola (las FAPLA), inclusive los primeros que mandaron eran negros, haciendo aparentar que eran parte del ejército angolano. Después empezaron a mandar cubanos con pasaportes falsos, con coberturas de ingeniero o técnico, pero iban a cumplir misiones militares".

En mayo de 2017 aparecieron en la prensa local del insurgente estado Táchira de Venezuela, y en las redes sociales, fotos de un Carné de Identidad cubano que se dice le fue encontrado a un uniformado de la Policía Nacional Bolivariana (PNB) sometido por opositores en Tariba.[34]

Oyantai Hernández Campillo tenía entre sus pertenencias el CI (carné de identidad) número 80082307482. Pesquisas de Martí Noticias y del investigador cubano Luis Domínguez revelaron datos personales de Oyantai en Cuba:

---

[33] Ver video: "Entrevista al Coronel Cecilio Díaz", Robert Alonso. 18 mayo 2014 https://youtu.be/vErkL5fl6nM

[34] Notitotal: "Tachirenses habrían detenido a PNB con identificación cubana". 17 mayo 2017.
Disponible en: http://notitotal.com/2017/05/17/tachirenses-habrian-detenido-a-pnb-con-identificacion-cubana/

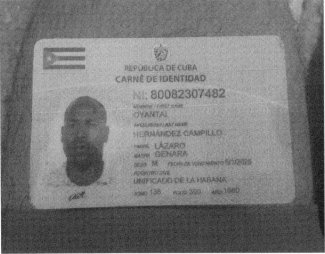

En mayo del 2017, opositores de la ciudad de Táriba, estado Táchira, encontraron entre las pertenencias de Oyantai Hernández Campillo, con uniforme de la Policía Nacional Bolivariana, su carné de identidad cubano (80082307482). El investigador Luis Domínguez encontró que Oyantai reside en el municipio Boyeros, de Ciudad de La Habana.

Aunque en uno de sus perfiles en Facebook decía que residía en San Cristóbal, estado Táchira de Venezuela, en la isla se domiciliaba entonces en L #15809 e/ N y M, municipio Boyeros de Ciudad de La Habana, y había trabajado como chofer del Ministerio de Salud Pública. Estaba casado y tiene una hija, Oyalmis, con Idarmis Tamayo, quien ha sido empleada del Mercado de 3ra y 70 en Miramar. Esta es una tienda de recaudación de divisas propiedad de la cadena militar Gran Caribe donde para trabajar se requiere un sólido aval político y buenos contactos. Oyantai viajó a Cuba para el fin de año de 2016 y regresó en febrero de 2017 a Venezuela. En un chat en otro de sus perfiles de Facebook, le preguntan en noviembre de 2015: "Papuchi ¿por dónde andas?" y Oyantai responde: "Ando por venezuela por el trabajo".[35]

Los colectivos de la muerte

Los asesores cubanos se habrían apoyado además para matar en gente con pocos escrúpulos. En marzo de 2014 el diario *El Nuevo Herald* de Miami informó, citando a "exagentes de Inteligencia de Venezuela y fuentes con acceso directo a oficiales activos de la Fuerza Armada Nacional Bolivariana" que la represión de las protestas ejecutada por los grupos paramilitares chavistas conocidos como co-

[35] Ver perfil de Facebook de Oyantai Campillo: https://www.facebook.com/oyantai.campillo

lectivos, que integran elementos delincuenciales y de izquierda, era coordinada por personal cubano.[36]

El reporte señalaba que una veintena de oficiales y funcionarios cubanos de alto rango se habían instalado en el Palacio de Miraflores para coordinar las acciones de estas bandas integradas por entre 600 y 1.000 hombres armados, debido a que en el Fuerte Tiuna había rechazo a la violencia contra la población.

En marzo del 2014 *El Nuevo Herald* informó que las acciones contra las manifestaciones opositoras de los colectivos eran coordinadas desde Miraflores por una veintena de oficiales cubanos de alto rango. Estos grupos paramilitares están integrados por elementos criminales afines al gobierno.

Según una de las fuentes del *Herald*, las órdenes a los colectivos eran impartidas "a través del Secretariado Revolu-

---

[36] Ver en *El Nuevo Herald*: "Cubanos dirigen a paramilitares en Venezuela". Antonio Maria Delgado. 18 marzo 2014.
https://www.elnuevoherald.com/noticias/mundo/america-latina/venezuela-es/article2031792.html

cionario de Venezuela, cuya máxima cúpula es totalmente controlada por los funcionarios cubanos".

El diario citaba múltiples testimonios recogidos después de las manifestaciones, según los cuales miembros de los colectivos habían disparado abiertamente contra los manifestantes bajo la mirada cómplice de la Guardia Nacional, y eran los responsables de buena parte de los muertos y heridos en esas jornadas.

Durante las protestas del 2014 perdieron la vida 43 venezolanos y 486 resultaron heridos.[37] En las de 2017, fallecieron entre 121 y 157 personas[38] según fuentes oficiales o extraoficiales, y unas 3.000 resultaron heridas. Una revisión de las listas muestra que a muchos de los que perecieron les apuntaron a matar, no les dispararon para detenerlos o dispersarlos.

General Alejandro Ronda Marrero

Otro represor de exportación cubano identificado por la FHRC, y a quien se considera los ojos y oídos en Venezuela del temido Comandante de la Revolución Ramiro Valdés para los asuntos de inteligencia y seguridad, es el

---

[37] Disponible en INFOBAE: "Uno por uno, estos son los 43 muertos en las protestas contra el régimen de Maduro en Venezuela". 12 febrero 2015. https://www.infobae.com/2015/02/12/1626403-uno-uno-estos-son-los-43-muertos-las-protestas-contra-el-regimen-maduro-venezuela/

[38] Disponible en *20 minutos*: "Las protestas en Venezuela causan 121 muertos y casi 2.000 heridos, según la Fiscal". 31 julio 2017 https://www.20minutos.es/noticia/3103857/0/venezuela-muertos-protestas-constituyente-fiscal/#xtor=AD-15&xts=467263

General del Ministerio del Interior Alejandro Ronda Marrero, En Cuba se dice que un coronel de la inteligencia cubana tiene el poder de un general del Ejército, y Ronda Marrero ha alcanzado el rango de General de Brigada del MININT.

Estuvo vinculado en sus últimos tiempos en la isla al programa cubano de guerra cibernética. Esto incluía monitorear a los disidentes y a funcionarios con acceso a internet que les facilitaran las comunicaciones.

Antes de ir aVenezuela, Ronda Marrero estuvo vinculado al al programa cubano de guerra cibernética.

En Venezuela según un informe de 2012 anteriormente citado, él "coordina, asesora y dirige desde la DIM-Boleíta (este de Caracas) en coordinación con el SEBIN-DIE todas las operaciones de inteligencia y contra inteligencia militar y civil".

Ronda Marrero no es un burócrata típico, sino que es descrito por antiguos colegas como "alguien que ha vivido en las sombras, operando en situaciones riesgosas, violando cuanta ley de neutralidad pudo haber existido, y actuando con dureza, violencia, calma fría y precisión". Él es uno de esos James Bond castristas, compañero del fusilado Tony de la Guardia y el chileno Max Marambio, ambos con fama de "Rambos internacionalistas revolucionarios".

"Rambos internacionalistas revolucionarios". General Alejandro Ronda, (2do desde la derecha), y el caído en desgracia Cnel. Tony de la Guardia (derecha).

Algunos hitos de la trayectoria de Ronda:

- Enlace con el célebre terrorista internacional Vladimir Ilich Ramírez, "Carlos", alias El Chacal.

- 1973: Miembro de la misión militar cubana en Chile durante el gobierno de Salvador Allende. Estuvo en La Moneda junto a de La Guardia hasta el momento final de Allende.

- 1974: Participante en Angola en la "Operación Carlota" que permitió controlar el poder a la facción del MPLA en contra de las fuerzas de Holden Roberto y Jonás Sabimbi. Entre 1976 y 1977, al frente de operaciones especiales en la retaguardia de la UNITA.

- 1979: Entrenador de chilenos graduados como oficiales cubanos y que constituyeron el Batallón Chile en la guerra civil de Nicaragua contra Somoza.

- 1980: Planeamiento, logística y coordinación del exitoso atentado contra Somoza en Paraguay.

- 1982: Ascenso a General y nombramiento como Jefe de las Tropas Especiales del Ministerio del Interior, para coordinar la parte operativa de la agenda de subversión latinoamericana de Fidel Castro. Mientras el Departamento América del Comité Central del PCC estaba a cargo de desarrollar los contactos políticos con estos grupos, Tropas Especiales realizaba el trabajo logístico y operativo: entrenamientos militares y de espionaje, transporte de armas, y operaciones sobre el terreno.

- 1983: De vuelta en Nicaragua a cargo del entrenamiento de las unidades especiales del ejército sandinista especializadas en guerra irregular para enfrentar a la "contra" antisandinista.

- 1986: Dirige una gran operación de desembarco de explosivos y armamentos en Carrizal Bajo, Chile, y organiza un fallido atentado contra Augusto Pinochet.

El general Alejandro Ronda Marrero, nunca dudó en implicar a excolegas durante la farsa de juicio a Ochoa-de La Guardia conocido como Causa No.2 de 1989

También se le atribuyen un plan de secuestro contra el exdictador cubano Fulgencio Batista que quedó frustrado con la muerte de Batista en Guadalmina, España; el atentado contra el Senador derechista chileno Jaime Guzmán (1991) y dirigir el plan de fuga en helicóptero, de una cárcel de máxima seguridad, de los perpetradores presos, miembros del Frente Patriótico Manuel Rodríguez.

Al mismo tiempo se le identifica como alguien de doble moral que no vaciló en implicar a antiguos colegas en la Causa No. 2 de 1989 que llevó a la cárcel y a la larga a la muerte al Ministro del Interior José Abrahantes.

Como la mayoría de los servidores del castrismo Ronda Marrero reside en una zona "congelada" exclusiva para personas como él, en la calle 184 # 1315 entre 13 y 15 del municipio habanero de Playa. El teléfono fijo de su casa es el (537) 2712220.

Tiene dos hijas, Saraí y Marisel Ronda Ramos, y un hijo, Juan Carlos, que actualmente porta el Rolex GMT regalo de Fidel Castro a su padre.

⊕ ORGANISMOS DE INTELIGENCIA INFILTRADOS POR LOS CUBANOS

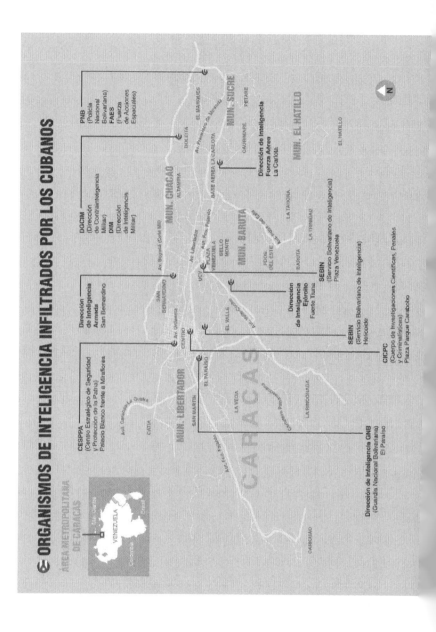

ÁREA METROPOLITANA DE CARACAS

CESPPA
(Centro Estratégico de Seguridad y Protección de la Patria)
Palacio Blanco frente a Miraflores

Dirección de Inteligencia Armada
San Bernardino

DGCIM
(Dirección de Contrainteligencia Militar)
DIM
(Dirección de Inteligencia Militar)

PNB
(Policía Nacional Bolivariana)
FAES
(Fuerza de Acciones Especiales)

Dirección de Inteligencia Fuerza Aérea
La Carlota

SEBIN
(Servicio Bolivariano de Inteligencia)
Plaza Venezuela

Dirección de Inteligencia Ejército
Fuerte Tiuna

SEBIN
(Servicio Bolivariano de Inteligencia)
Helicoide

CICPC
(Cuerpo de Investigaciones Científicas, Penales y Criminalísticas)
Plaza Parque Carabobo

Dirección de Inteligencia GNB
(Guardia Nacional Bolivariana)
El Paraíso

MUN. LIBERTADOR
MUN. CHACAO
MUN. BARUTA
MUN. SUCRE
MUN. EL HATILLO

El Ministerio del Interior cubano en Venezuela

Los asesinatos políticos y las torturas a opositores y manifestantes son solo la parte más dramática de la labor de seguridad, inteligencia y contrainteligencia de Cuba en Venezuela. El general Rivero, quien afirma que desde la primera mitad de los 2000 sabía de la presencia en el país de efectivos cubanos de inteligencia, ha identificado otras funciones de estos organismos:

- Detección e identificación de grupos políticos, organizaciones no gubernamentales o empresas de corte opositor al proyecto chavista. (La oposición en Venezuela ha denunciado que los cubanos manejan los registros, conocen qué propiedades tienen los venezolanos y sus transacciones; manejan el sistema de identificación, las cédulas de identidad y los pasaportes; también registros mercantiles y notarías públicas; codirigen puertos y tienen presencia en aeropuertos y puntos de control migratorio; tienen el control de los sistemas informáticos de la presidencia, los ministerios, programas sociales, servicios policiales y de la petrolera estatal, PDVSA, mediante la empresa mixta Guardián del Alba).

- Transformación de la estructura organizacional y de la doctrina militar a fin de constituirse (la FANB) en sostenimiento del proyecto.

- Evaluación y análisis de las nuevas políticas implementadas a nivel de instituciones y sectores para comprobar su consolidación como conceptos revolucionarios.

- Trabajo de inteligencia en todas direcciones y niveles para la permanente actualización de la situación-país.

- Transformación de la estructura conceptos y funciones de la inteligencia civil y militar de Venezuela. Priorización de la contrainteligencia.

- Trabajo policial y de inteligencia contra los propios cubanos que cumplen alguna misión en Venezuela. Planes para poder hacer el uso óptimo del personal cubano civil que ya viene adiestrado como combatiente.

- Acción permanente de guerra sicológica mediante el manejo de la desinformación y la implementación de "globos de ensayo" para estudiar las diversas reacciones ante los mismos.

- Desarrollo de una plataforma tecnológica completa y avanzada para el control de las redes sociales y comunicaciones de internet, así como de otros medios de comunicación. Cable submarino entre Venezuela y Cuba bajo control naval.

Prioridad 1: la contrainteligencia

No es casualidad que el GRUCE haya estado encabezado durante unos años por el General Yánez, un experto en contrainteligencia (CI). La Habana ha replicado y robustecido en Venezuela las técnicas de zapa y descrédito que aplica en Cuba contra la oposición interna, potenciales desertores, diplomáticos y empresarios extranjeros, etc.

La prioridad asignada en el país suramericano a esta vertiente del trabajo del G-2, —como lo ha resaltado el General Rivero— se observa en una presentación en *power point* elaborada por especialistas cubanos y titulada "Tarea Escudo" donde se identifican, entre otros objetivos:

- "Representaciones diplomáticas, empresariales, ONGs, agencias de prensa acreditadas".
- "El accionar de la oposición política en los sectores partidistas, órganos de gobierno, justicia, policiales, medios de comunicación, sindicales, estudiantiles, religiosos"; y
- "Los principales sectores económicos e instalaciones productivas y de servicios de impacto nacional o estadual".

"El compañero que me atiende"

Es tradicional en la Cuba castrista que a muchos ciudadanos se les asigne una especie de oficial de la Seguridad del Estado "de cabecera", que se ocupa de vigilarle, llevarle un expediente secreto y entrevistarse periódicamente en privado con él o ella para sacarle información personal, sobre sus compañeros de trabajo, su círculo de relaciones u otras personas de su interés.

A estos chaperones encubiertos los cubanos les llaman con ironía "el compañero que me atiende", y la práctica está tan extendida que el académico afincado en Nueva York Enrique del Risco publicó recientemente bajo ese título una antología de textos de 57 autores cubanos sobre la presencia de los órganos de Seguridad del Estado en sus vidas en particular o en la vida cubana en general.

De los tres a cinco mil especialistas cubanos de las fuerzas armadas y la inteligencia y contrainteligencia enviados a Venezuela, una parte desempeña la misión de "el compañero que me atiende".

Siguiendo un esquema aplicado por la KGB soviética en Cuba, son situados como supuestos "asesores" de oficiales y funcionarios de alto rango, cuando su misión principal es ser "controladores" de esas personas, conocer sus ideas, relaciones, situación familiar y otros datos que pueden costarles el cargo si esas fuerzas coloniales emiten un juicio negativo sobre su confiabilidad política. Conociendo sus debilidades o preferencias, los chantajean o los persuaden para reclutarlos como sus propios agentes e informantes.

Un caso que terminó en escándalo en Venezuela se enfocó en una grabación de audio difundida en mayo del 2013 por la oposición[39] en la cual el comunicador chavista Mario Silva, conductor del conocido programa de propaganda

---

[39] Disponible en BBC: "La grabación que desató un terremoto político en Venezuela" 21 mayo 2013
https://www.bbc.com/mundo/noticias/2013/05/130520_venezuela_politica_ch avismo_divisiones_mario_silva_diosdado_cabello_nicolas_maduro_az

"La Hojilla", le rinde un largo informe sobre chismes internos de los círculos de poder chavistas a un agente de inteligencia cubano.

El cubano, según reveló el diputado opositor Ismael García, era el teniente coronel Aramis Palacios.

Silva revela en la grabación, la presencia de los cubanos en la más importante instalación militar del país: "Ayer tuvimos una reunión de inteligencia con dos camaradas cubanos, dos oficiales cubanos, en Fuerte Tiuna", dice Silva habla hasta por los codos, entre otros temas, sobre la disputa entre Nicolás Maduro y Diosdado Cabello por la sucesión del presidente Hugo Chávez, oficialmente fallecido en marzo de ese año. Palacios apenas interviene.

Entre otros personajes, también arremete contra el exvicepresidente José Vicente Rangel y hasta contra el yerno de Hugo Chávez y actual canciller Jorge Arreaza, a quien acusa de filtrar la muy esperada información secreta sobre la enfermedad del mandatario que publicaba el periodista Nelson Bocaranda en su programa televisivo y columna escrita "Runrunes".

El diputado opositor García consideró que la grabación era en realidad un informe destinado al gobernante cubano Raúl Castro, el que, en última instancia, según el parlamentario, es "quien orienta y dirige la política de este país".

Dividir, desacreditar, juzgar, "neutralizar"

Pero Silva sería solo lo que la antes mencionada Tarea Escudo define como un "colaborador secreto activo". Esto es, un "ciudadano plenamente comprobado e identificado con el proceso revolucionario, con el que se establecen relaciones de colaboración secreta (…) cumple tareas de información, influencia y apoyo al trabajo y la T/O (técnica operativa); tiene "disposición a la colaboración voluntaria", con "motivaciones políticas, ideológicas, éticas, interés profesional o beneficio, lográndose una relación mutuamente ventajosa".

Importancia:

♦ El agente es el medio principal para enfrentar la Actividad Subversiva. Penetra la actividad enemiga o su ambiente y en función de ésto debe sentarse en la mesa del enemigo, aconsejar en su almohada, deslizarse en sus oficinas, participar en recepciones, cócteles y té diplomáticos, integrar sus delegaciones a conferencias, eventos políticos, económicos y sociales de carácter científico o no; disfrutar sus mismos entretenimientos.

Tomado del PowerPoint "Tarea Escudo" elaborado en Cuba para la contrainteligencia en Venezuela.

Además de estos colaboradores activos que informan o ejercen influencia por afinidades ideológicas, la contrainteligencia cubana se vale en Venezuela de agentes reclutados por interés material (retribución) o comprometimiento coercitivo (chantaje). La Tarea Escudo resume así las funciones de un agente: "penetra la actividad enemiga y su ambiente y en función de esto debe sentarse en la mesa del enemigo, aconsejar en su almohada, deslizarse en sus oficinas, participar en recepciones, cocteles y té diplomáticos, integrar sus delegaciones a conferencias, eventos políticos, económicos y sociales de carácter científico o no, disfrutar de sus mismos entretenimientos".

A estos peones adelantados se les asignan tareas específicas como impulsar al "enemigo" a comunicar consciente o inconscientemente las informaciones de interés que posee; evitar que ejecute sus acciones subversivas influyendo para que se retracte o las posponga mediante persuasión, o proponiéndole iniciativas que lo desvíen, u obstaculizando secretamente su acceso a los medios necesarios.

Cuando se decide eliminar de raíz (corte operativo) lo que se define como ASE (Actividad Subversiva Enemiga), según el manual de contrainteligencia preparado en La Habana, se intenta introducir información para quebrantar las relaciones entre dirigentes y subordinados; fomentar y estimular las discrepancias político-ideológicas, desacreditar a los dirigentes y fortalecer rivalidades.

Los opositores cubanos conocen bien estas tácticas aplicadas en la isla por el llamado Departamento 21 de "Enfrentamiento a la Contrarrevolución".

Si mediante todo este trabajo de zapa de la CI resulta imposible lograr los fines propuestos el manual recomienda entonces aplicar medidas públicas. Algunas de estas son las exigencias de responsabilidad penal (como las acusaciones contra líderes opositores venezolanos por "instigar crímenes de odio"); exigencias de responsabilidad administrativa, y "desenmascaramiento público u oficial".

Si nada de esto funciona, los expertos cubanos recomiendan una medida que no entran a detallar en su *power point*: "Neutralización".

Hablar del gobierno es traición a la Patria

Venezolanos y espectadores internacionales se preguntan cómo puede Maduro asegurar la lealtad y la participación en viles actos represivos no solo de los colectivos sino de la Policía y la Guardia Nacional. En contraste, solo de ese último cuerpo armado se han contabilizado más de 4.000 deserciones en el último año.

Recientemente un desertor de la Guardia en la frontera con Colombia, el sargento Efrén Alejandro Linares, aseguró que el 80% de sus compañeros están en contra del gobierno, pero que el problema "es el miedo: no puedes hablar, no puedes decir nada en contra del gobierno porque es traición a la Patria".[40]

Un joven sargento entrevistado a fines de febrero 2019 por la BBC dentro de Venezuela fue más lejos y dijo que hasta el 98 % de sus compañeros se oponen a Maduro, pero enfrentan el mismo temor: "Nadie puede hablar libremente,

---

[40] Ver video: "Sargento Segundo Efren Alejandro Linares desertó de la Guardia Nacional Bolivariana". 23 febrero 2019
https://www.facebook.com/CucutaEsNoticia1/videos/154767158756410/

los teléfonos están pinchados y hasta silbar puede ser peligroso".

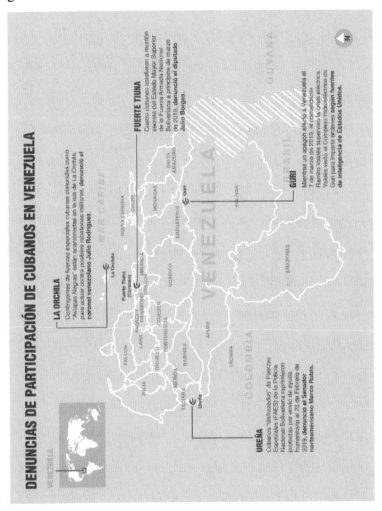

DENUNCIAS DE PARTICIPACIÓN DE CUBANOS EN VENEZUELA

LA ORCHILA
Contingentes de fuerzas especiales cubanas conocidas como "Avispas Negras" están acantonadas en la isla de La Orchila, para actuar contra posibles rebeliones militares, denunció el coronel venezolano Julio Rodríguez.

FUERTE TIUNA
Cuatro cubanos asistieron a reunión secreta del Estado Mayor Superior de la Fuerza Armada Nacional Bolivariana a principios de marzo de 2019, denunció el diputado Julio Borges.

GURI
Mientras un apagón afectó a Venezuela el 7 de marzo de 2019, el comandante Ramiro Valdés supervisó la crisis eléctrica. Valdés visitó el Complejo Hidroeléctrico de Guri para impartir órdenes según fuentes de inteligencia de Estados Unidos.

UREÑA
Cubanos "disfrazados" de Fuerzas Especiales (FAES) de la Policía Nacional Bolivariana reprimieron protestas el 23 de Febrero de 2019, denunció el Senador norteamericano Marco Rubio.

En igual sentido se manifestaron dos soldados entrevistados por separado por el mismo servicio noticioso británico. "Existe un temor en el foro militar. Las fuerzas armadas

117

fueron penetradas por el G-2 de Cuba y entonces, el que habla mal, imagínese usted lo que le hacen", dijo uno. Y el otro: "Vienen hacia ti a través de la familia. Dicen: 'Mira, el hijo tuyo tiene malas notas'. Y te asustan".[41]

Un reciente informe presentado por la ONG Instituto Casla al secretario general de la OEA Luis Almagro documenta 40 nuevos casos de tortura este año, algunas de ellas atribuidas a la Dirección General de Contrainteligencia Militar (DGCIM). Varios de los centros clandestinos de tortura son casas residenciales confiscadas al narcotráfico, dijo Tamara Sujú, Directora Ejecutiva del Instituto Casla.[42]

En esos centros clandestinos, al igual que en la sede de la DGCIM en el barrio caraqueño de Boleíta, "militares han sido colgados, golpeados, atados de pies y manos, encapuchados por días, tirados en el piso sin darles agua y comida", dijo Sujú.

La activista destacó el ensañamiento con militares detenidos el 30 de noviembre junto con el coronel Oswaldo García Palomo. Según la abogada venezolana estos sufrieron colgamientos, descargas eléctricas, palizas, puntapiés en el rostro y cortadas con navajas en los pies y los glúteos.

---

[41] Ver video: "Dos soldados venezolanos le dicen a la BBC que crece el malestar entre las tropas contra Maduro". 18 febrero 2019
https://youtu.be/lI3J8TaNkGY

[42] Ver en ABC: "Las víctimas ponen cara a los torturadores de la inteligencia militar de Venezuela". 21 marzo 2019.
https://www.abc.es/internacional/abci-estos-torturadores-inteligencia-militar-venezuela-201903211651_noticia.html

Parte del informe se basa en el testimonio del teniente de la Fuerza Aérea Ronald Dugarte, un exfuncionario de la DGCIM.[43]

Dugarte dijo haber sido entrenado por personal venezolano y cubano en labores de inteligencia. Acerca del control de los cubanos sobre las operaciones de la DGCIM dijo:

"Al momento de que la Milicia de Inteligencia Cubana ingresa a cada una de la RECIM (Regiones de Contrainteligencia Militar), ellos les daban, o dan, órdenes a los generales que comandan cada RECIM (…) Y a cada uno de los analistas, brindado instrucciones sobre cómo realizar las labores de inteligencia (…), y siempre sembrando odio a cualquier persona que esté en contra del comunismo", explicó.

El control cubano sobre la clase militar venezolana se ha redoblado en la medida en que han aumentado las deserciones –más de 400 en la frontera con Colombia en febrero-marzo 2019– y el descontento entre los militares venezolanos, incluso los de alto rango.

La periodista venezolana Sebastiana Barráez, quien cubre desde hace años las fuerzas armadas, señaló en entrevista con la publicación Libertad Digital[44] cómo se ha intensifi-

---

[43] Disponible en *Diario Las Américas*: "Teniente revela torturas y participación de agentes cubanos en Venezuela". 20 marzo 2019.
https://www.diariolasamericas.com/america-latina/teniente-revela-torturas-y-participacion-agentes-cubanos-venezuela-n4174098
[44] Disponible en Libertad Digital: "Maduro no se fía del Ejército y recurre a paramilitares y cubanos". 28 febrero 2019.
https://www.libertaddigital.com/internacional/latinoamerica/2019-02-

cado la presencia de oficiales cubanos en los cuarteles, debido a que Maduro desconfía de la FANB y hasta de la antes leal Guardia Nacional, y se apoya más en los "colectivos" integrados por delincuentes y guerrilleros colombianos, y en los cubanos. Acerca de estos últimos dice Barráez:

> "Ellos siempre se han mantenido un poquito en la sombra; sobre todo después de la muerte de Hugo Chávez bajaron la intensidad de la visibilidad que tenían, especialmente en el caso de la fuerza armada. Pero ahora interrogan a oficiales, dan órdenes dentro de los cuarteles".

Avispas Negras se exhiben en la frontera

Las informaciones sobre la presencia propiamente de tropas de combate cubanas en Venezuela han sido fragmentarias y difíciles de confirmar. El General Rivero afirma que no hay este tipo de efectivos más allá de un escuadrón de fuerzas especiales. Sin embargo, a fines de septiembre pasado se expuso deliberadamente, a modo de demostración de fuerza, que un contingente de las tropas especiales de las Fuerzas Armadas Revolucionarias de Cuba conocidas como Avispas Negras, participaron por entonces en lo que el Comando Estratégico Operacional de la Fuerza Armada Nacional Bolivariana (CEOFANB) describió como una

"Operación Estratégica Defensiva Combinada"[45], un despliegue a los largo de los 2.219 kilómetros de frontera con Colombia, que el jefe del CEOFANB, general Remigio Ceballos, aseguró que contó con unos cien mil uniformados y el apoyo de Rusia, China y Cuba.

En septiembre 2018, las fuerzas cubanas conocidas como "Avispas Negras" aparecen en un ejercicio military en la frontera con Colombia.
Foto CEOFANB[46]

Las únicas fuerzas extranjeras presentadas fueron sin embargo las conocidas tropas élite cubanas, de las cuales se incluyeron imágenes captadas en Venezuela en un mensaje

[45] Ver en Martí Noticias; "Tropas de Cuba, Rusia y China en frontera colombo-venezolana motivaron advertencias de EEUU". 6 octubre 2018
https://www.radiotelevisionmarti.com/a/participaci%C3%B3n-de-tropas-de-cuba-rusia-y-china-en-maniobras-fronterizas-venezolanas-motiv%C3%B3-advertencia-de-washington-/214145.html
[46] Ver en: https://twitter.com/ceofanb/status/1045796233485389825

de la cuenta de Twitter del CEOFANB el 28 de septiembre de 2018. El texto decía:

> "Integrándonos para vencer; #FAES de nuestra #FANBEsVenezuela, fortalecieron sus conocimientos, habilidades y destrezas militares para la Defensa Integral de la Nación, en #OperacionEstrategicaDefensiva Combinada con las Fuerzas Especiales de Cuba "Avispas Negras" de la FAR".[47]

El provocativo despliegue fronterizo motivó una reacción de Estados Unidos por boca del vicepresidente Mike Pence, durante un discurso en la sede de la ONU en Nueva York:

> "Informes noticiosos hoy indican que el régimen de Maduro ha movilizado tropas a la frontera con Colombia, como lo han hecho en el pasado, en un obvio esfuerzo de intimidación. Y permítanme ser claro: los Estados Unidos de América siempre apoyarán a nuestros aliados por su seguridad. Y el régimen de Maduro haría bien en no poner a prueba la determinación del presidente de los Estados Unidos o del pueblo estadounidense con respecto a esto".

Hasta los tuétanos

El exdirector de Contrainteligencia Militar de Venezuela bajo el gobierno de Hugo Chávez, Hugo "El Pollo" Carva-

---

[47] Ver Twitter @ceofanb 28 septiembre 2018.
https://twitter.com/ceofanb/status/1045796233485389825

jal, es un personaje polémico. Fue detenido en Aruba en julio del 2014 bajo una orden de arresto de EE.UU. que le busca por usar su poder para proteger el narcotráfico de las FARC. Fue liberado por Holanda debido a que tenía inmunidad diplomática como cónsul venezolano.

El amigo y tocayo de Hugo Chávez reconoció a fines de febrero de 2019 en un video a Juan Guaidó como presidente legítimo de Venezuela, y exigió la entrada de ayuda humanitaria al país. Carvajal, que conoce de primera mano la historia de la invasión cubana, respondió recientemente en las redes sociales a un comentario del politólogo Nicmer Evans, quien llamó a deponer la tiranía en Venezuela sin "ningún tipo de hecho que comprometa nuestra soberanía".[48]

"Estimado Nicmer", escribió Carvajal, "nuestra soberanía está comprometida hasta los tuétanos. Si quien debe y puede defenderla (la FAN) es dirigida por cubanos, ¿cómo deponemos la tiranía?".

---

[48] Ver en La Patilla: "Si la FAN es dirigida por cubanos, ¿cómo deponer la tiranía?": La pregunta de Carvajal a Evans". 24 febrero 2019
https://www.lapatilla.com/2019/02/24/si-la-fan-es-dirigida-por-cubanos-como-deponer-la-tirania-la-pregunta-de-carvajal-a-evans/

Cubanos en Venezuela

Sumario Ejecutivo

1. Luego de casi dos décadas de estrecha colaboración entre Caracas y La Habana, la presencia cubana logró penetrar casi todas las instancias de poder político, militar y económico de Venezuela, generando miles de millones de dólares en ganancias para el régimen castrista, y una estructura de control sin precedentes por parte de miles de agentes cubanos, principalmente en el sector de inteligencia y en el estamento militar, que aún persiste en Venezuela.

2. El servicio de inteligencia cubano es considerado en la actualidad el pilar central del sostenimiento de Nicolás Maduro en el poder. Según numerosas fuentes consultadas para este reporte, la influencia más notable de la presencia cubana se centra principalmente en mantener el control de la Fuerza Armada Nacional Bolivariana (FANB), pero también ejerce su labor de infiltración e influencia dentro de la comunidad de inteligencia en Venezuela, desde la Dirección de Contrainteligencia Militar (DGCIM) y del Servicio Bolivariano de Inteligencia (SEBIN), hasta la Policía Nacional Bolivariana y los diversos servicios de inteligencia de las Fuerzas Armadas.

3. Los cubanos prácticamente están presentes en las más importantes guarniciones y organismos de carácter militar en Venezuela, como es el caso de Fuerte Tiuna, el mayor fuerte militar del país. También desempeñan toda clase de responsabilidades que abarcan los anillos de protección presidencial, la seguridad del palacio de gobierno, la vigilancia y las contramedidas para prevenir alzamientos militares, y una penetración estratégica para combatir el descontento dentro de la Fuerza Armada Nacional Bolivariana, y en general para organizar y dirigir las actividades represivas contra fuerzas opositoras al régimen.

4. Los cubanos operan además en organismos como la Cancillería venezolana, donde juegan un papel asesor crucial para la política exterior del régimen de Nicolás Maduro.

5. Los asesores cubanos supervisan los sistemas de espionaje electrónico como el Centro de Seguridad y Protección de la Patria (CESPPA), el más cercano equivalente venezolano a la NSA norteamericana.

6. De acuerdo con fuentes y testimonios inéditos, los cubanos tienen acceso continuo y asesoran aquellos centros en que se realizan labores de tortura sistemática contra presos políticos y oficiales militares y policiales que han expresado críticas al régimen madurista. De igual manera, tienen una activa par-

ticipación en las redes de narcotráfico y lavado de dinero desarrollado por el Cartel de los Soles y otras organizaciones delictivas que operan en Venezuela con el beneplácito del régimen.

Antecedentes

Luego de casi dos décadas de estrecha colaboración entre Caracas y La Habana, la presencia cubana logró penetrar casi todas las instancias de poder político, militar y económico de Venezuela, generando miles de millones de dólares en ganancias para el régimen castrista, y una estructura de control sin precedentes sobre las instituciones del estado venezolano que es ejercida diariamente por miles de agentes cubanos, principalmente en el sector de inteligencia y en el estamento militar. Este control cubano sobre las estructuras claves de poder en Venezuela persiste hasta el día de hoy.

El servicio de inteligencia cubano –calificado todavía por Estados Unidos como uno de los más eficaces del mundo– es considerado en la actualidad uno de los pilares centrales del sostenimiento de Nicolás Maduro en el poder. Según numerosas fuentes consultadas para este reporte, la influencia más notable de la presencia cubana se centra principalmente en mantener el control de la Fuerza Armada Nacional Bolivariana (FANB), pero también en ejercer su influencia dentro de la comunidad de inteligencia en Venezuela, desde la Dirección de Contrainteligencia Militar (DGCIM) y el Servicio Bolivariano de Inteligencia (SEBIN), hasta la Policía Nacional Bolivariana y los diversos servicios de inteligencia de las Fuerzas Armadas.

La presencia cubana es coordinada por el llamado Grupo de Cooperación y Enlace (GRUCE), que mantiene cuadros tanto en Cuba como en Venezuela, y funciona con una estructura que enlaza todos los comandos de guarnición más importantes para la defensa territorial, cubriendo prácticamente todas las bases militares del país.

Los tentáculos cubanos alcanzan el nervio central de la vigilancia informática para fines de control político y social a través del Centro de Seguridad y Protección de la Patria (CESPPA), el equivalente a la National Security Agency (NSA) en Estados Unidos.

También penetraron la estructura de mando del SEBIN, que aun siendo originalmente un organismo policial y de apoyo a investigaciones judiciales, se fue transformando en un aparato de seguridad con alcance represivo en todos los sectores, incluyendo el militar.

Los cubanos adicionalmente han logrado beneficiarse de una amplia gama de actividades económicas, desde negocios de exportación petrolera, compra de alimentos y producción minera, hasta la emisión de documentos de identidad y pasaportes, y los registros notariales de Venezuela, a través de una serie de convenios binacionales cuyos detalles en su mayoría han sido mantenidos en secreto.

Pero es en los cuerpos de seguridad de Estado, y en la Fuerza Armada Nacional Bolivariana, donde ha estado la influencia más decisiva y perniciosa de los cubanos en Venezuela.

Operaciones conjuntas

La presencia física de personal cubano, desde asesores, comisarios políticos y tropa hasta espías y fuerzas especiales, está distribuida en las guarniciones militares más importantes y en los centros operativos de los REDI (Regiones de Defensa Integral) y los ZODI (Zonas de Defensa Integral). También abarcan las oficinas locales de los servicios de inteligencia y vigilancia como el SEBIN y el DGCIM.

Los servicios de inteligencia y la estrategia de control social formaron parte fundamental de la estrategia de defensa y del control sobre la sociedad establecido en la alianza con Cuba que desarrolló Hugo Chávez desde los primeros años de su gobierno, en 1999.

Buena parte de la actividad de los cubanos en Venezuela se mantiene bajo hermético secretismo, como su participación en tareas represivas, de espionaje de comandantes militares y de espionaje a opositores y disidentes.

Sin embargo, en algunas ocasiones, los jefes militares cubanos se han mostrado públicamente en ejercicios y eventos de carácter cívico y militar en Venezuela.

A fines de septiembre de 2018, por ejemplo, el Almirante en Jefe Remigio Ceballos, jefe del Comando Estratégico Operacional (CEO), la más alta instancia del alto mando militar venezolano, dio a conocer públicamente que militares y grupos de fuerzas especiales venezolanas participaron operaciones conjuntas con las Fuerzas Armadas Revolucionarias de Cuba, "para el fortalecimiento de la integración militar entre ambas naciones"[49].

Previamente, en otra operación conjunta de ejercicios "antiimperialistas", un alto oficial cubano, el general Joaquín Quintas Solá, acudió a la isla de La Orchila en enero de 2017, para comandar los llamados ejercicios militares "Zamora 200"[50].

El comandante histórico Ramiro Valdés, vicepresidente de los Consejos de Estado y de Ministros de Cuba (según el perfil de su cuenta de Twitter, @ValdesMenendez), ha tenido también varias apariciones públicas en Venezuela.

En febrero de 2010, Valdés llegó a Venezuela presuntamente a petición del entonces presidente Hugo Chávez, como enviado especial para ayudar a resolver la crisis eléctrica en el país petrolero, una responsabilidad que creó toda clase de razonables sospechas acerca de la verdadera

---

[49] "CEOFANB y Fuerzas Armadas Revolucionarias de Cuba fortalecen integración militar, Agencia Venezolana de Noticias (AVN)", 29 de septiembre de 2018.
Ver: https://www.aporrea.org/actualidad/n332150.html.
[50] "Así se realizaron los ejercicios cívico-militares Zamora 200 en La Orchila", portal oficial www.albaciudad.org, 14 de enero de 2017.
Ver: http://albaciudad.org/2017/01/la-orchila-ejercicios-civico-militares-zamora-200/.

naturaleza de su presencia y misión en territorio venezo-lano[51].

La más reciente aparición de Valdés se produjo días antes del apagón que oscureció casi toda Venezuela, el pasado 7 de marzo. Según fuentes de inteligencia venezolanas, Val-dés llegó al país dos días antes del apagón, lo cual alimen-tó teorías de que el *blackout* fue intencional y ordenado para incrementar el caos y causar problemas al liderazgo del Presidente Interino Juan Guaidó. Valdés permaneció al menos una semana en el país, según las fuentes, hasta que retornó a Cuba tras la llegada a Venezuela de otro impor-tante miembro de la *nomenklatura* cubana, el "ex supermi-nistro" cubano Marcos Portal León, enviado para analizar la severa crisis energética que enfrenta el régimen de Nico-lás Maduro.

Ubicación geográfica /Cubanos en Venezuela

Se estima que, del total de decenas de miles de cubanos, –civiles y militares–, que actúan en Venezuela es posible distinguir la existencia de un "núcleo duro" de entre 3.000 y 5.000 cubanos, incluyendo agentes y tropas especiales dedicadas a los anillos de la seguridad personal presiden-

---

[51] "Cuba hire in Venezuela raises concern", CNN, 5 de febrero 2010. Ver: http://www.cnn.com/2010/WORLD/americas/02/05/venezuela.cuban.adviser/index.html.

cial y del ministro de defensa, expertos en espionaje y contraespionaje, así como oficiales y soldados de fuerzas especiales de asalto con alta capacitación militar. Esa fuerza intervencionista junto a las otras decenas de miles de cubanos, asisten a Nicolás Maduro en su tarea de control social y sostenimiento de la dictadura.

Este grupo de hombres están distribuidos por todo el país, en todas las instalaciones militares, con la tarea principal de reforzar la lealtad militar hacia la revolución bolivariana, perseguir disidentes y prevenir un levantamiento militar como el que se produjo en abril de 2002.

Los ministros de defensa de Venezuela y Cuba, Vladimir Padrino y Leopoldo Cintra Frías en la foto en el primer plano a la derecha.

Anillos de protección

Una de las principales funciones de la inteligencia cubana es conformar y dirigir los anillos de seguridad para proteger a Nicolás Maduro y su *entourage,* así como al ministro de Defensa General en Jefe Vladimir Padrino, pieza clave para mantener la cohesión dentro del Alto Mando Militar.

Los cubanos controlan el primer anillo de seguridad que protege a Nicolás Maduro tanto mientras despacha desde Miraflores como cuando se moviliza dentro y fuera de la capital venezolana.

Se estima que unos 100 a 150 hombres dirigidos por Cuba participan en toda la operación integral de protección de Maduro y su entorno.

También asisten en la seguridad del ministro Padrino durante sus funciones diarias mientras despacha en Fuerte Tiuna, el más importante fuerte militar del país; y también en los lugares donde pernocta, hasta hace poco, en la Urbanización Piedra Azul, un complejo de 12 casas al este de Fuerte Tiuna, ubicado al lado de la estación del Servicio de Comunicaciones de las Fuerzas Armadas (SECODENA).

Según fuentes consultadas, en ocasiones Maduro se traslada por avión para pernoctar desde Caracas hasta la isla de La Orchila, y viceversa, por razones de seguridad.

En esta isla caribeña que no tiene acceso público ya que se trata de un refugio presidencial, funciona una unidad estra-

135

tégica de fuerzas especiales cubanas (Avispas Negras) con la misión de actuar en el lugar donde haga falta: unidades aerotransportadas, operaciones especiales en fronteras, o que puedan ser desplegadas en el evento de un alzamiento militar, estimó el experto militar venezolano coronel retirado Julio Rodríguez.

La Orchila ha servido en el pasado como lugar secreto de reuniones entre altas autoridades de Venezuela y Cuba.

"Se trata de un lugar estratégico, aislado, menos visible y más seguro. A lo largo de los años, hemos verificado que se han producido en La Orchila cumbres de alto nivel entre Chávez y los hermanos Fidel y Raúl Castro, y en años recientes entre Maduro, Raúl Castro y Ramiro Valdés", aseguró el coronel.

Palacio Blanco/Miraflores

El alto mando militar cubano se desplazó de Fuerte Tiuna, el mayor fuerte militar de Venezuela, al Palacio Blanco, una edificación ubicada frente al palacio presidencial de Miraflores en la capital venezolana.

Allí se estima que están operando varios centenares de cubanos, entre jefes militares y unidades operativas combinadas con batallones de custodia del Regimiento de la Guardia de Honor, que tiene la responsabilidad de defensa inmediata del Palacio Presidencial.

Este personal vive y duerme en esas instalaciones, que incluyen además oficinas, bunkers de concreto armado y túneles que comunican con el Palacio Presidencial.

CESPPA

Los cubanos participan también en esta oficina de inteligencia e intercepción electrónica que opera en el Palacio Blanco, cuya misión es interceptar comunicaciones de disidentes y opositores, y monitorear el flujo de redes sociales para fines de persecución judicial

El CESPPA fue creado por Nicolás Maduro en 2013 para unificar la información confidencial que antes manejaban de forma separada la Dirección de Inteligencia Militar (DIM), el Servicio Bolivariano de Inteligencia Nacional (SEBIN) y los cuerpos policiales.

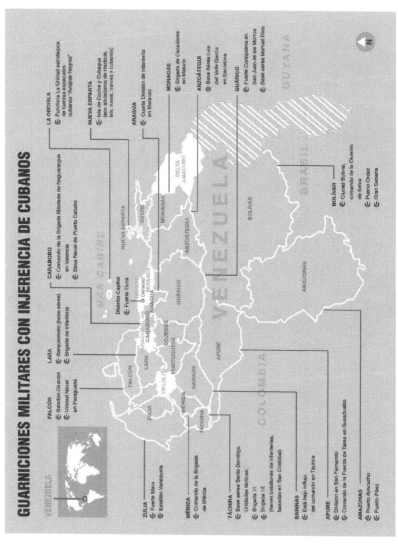

GUARNICIONES MILITARES CON INJERENCIA DE CUBANOS

VENEZUELA

FALCÓN
- Batallón Girardot
- Unidad Naval en Paraguaná

ZULIA
- Fuerte Mara
- Batallón Venezuela

MÉRIDA
- Comando de la Brigada de Mérida

TÁCHIRA
- Base aérea Santo Domingo
- Unidades tácticas.
- Brigada 11
- Brigada 12
- (tienen batallones de infanterías, basadas en San Cristóbal)

BARINAS
- Está bajo influjo del comando en Táchira

APURE
- División en San Fernando
- Comando de la Fuerza de Tarea en Guasdualito

AMAZONAS
- Puerto Ayacucho
- Puerto Páez

LARA
- Barquisimeto (base aérea)
- Brigada de infantería

CARABOBO
- Comando de la Brigada Blindada de Naguanagua en Valencia
- Base Naval de Puerto Cabello

LA ORCHILA
- Funciona La Unidad estratégica de fuerzas especiales cubanas "Avispas Negras"

NUEVA ESPARTA
- Isla de Coche y Cubagua (son albergaderos de Hezbolá, Isis, rusos, iraníes y Cubanos)

ARAGUA
- Guarni División de infantería en Maracay

MONAGAS
- Brigada de Cazadores en Maturín

ANZOÁTEGUI
- Base Aérea Lisa del Valle García en Barcelona

GUÁRICO
- Fuerte Conopoima en San Juan de los Morros
- Base aérea Manuel Ríos

BOLÍVAR
- Ciudad Bolívar, comando de la División de Selva
- Puerto Ordaz
- Gran Sabana

Según el testimonio de un oficial de inteligencia venezolano que se refugió en España en 2017, toda la información recabada por el CESPPA "acaba en manos de los servicios de inteligencia cubanos, el G2". El oficial venezolano, Gyoris Guzmán, aseguró que los cubanos que operan en el CESPPA reciben un "trato preferente"[52].

Los cubanos controlan también el grupo de expertos informáticos y hackers que trabajan en el CESPPA en tareas de intervención electrónica de figuras de la oposición y militares que pudieran participar en potenciales conspiraciones para sacar a Maduro del poder[53].

ZODI/REDI/Cuarteles Militares

Una parte fundamental de la influencia cubana en el sector militar venezolano fue la reorganización de las Fuerzas Armadas que fue gradualmente impulsada entre 2005 y 2008 en un concepto basado en la "defensa integral de la nación", una semblanza al modelo militar cubano de "guerra de todo el pueblo", que implicó la creación de Regiones Estratégicas de Defensa Integral (REDI), y Zonas Operativas de Defensa Integral (ZODI)[54].

Los cubanos están presentes en todos los comandos REDI, un total de 7 en todo el país, que forman la estructura de

---

[52] "Ex oficial chavista: G2 cubano controla servicio de inteligencia en Venezuela", Radio Televisión Martí, 5 de abril de 2017.
Ver: https://www.radiotelevisionmarti.com/a/cubanos-controlan-servicio-inteligencia-venezuela/142456.html.
[53] "Dentro de la maquinaria de espionaje de Nicolás Maduro", VerticeNews, 5 de abril de 2016.
Ver: https://www.lapatilla.com/2016/04/05/vertice-news-dentro-de-la-maquinaria-de-espionaje-de-nicolas-maduro/.
[54] "La Fuerza Armada Nacional 'Bolivariana', Estructura de funcionamiento actual", Control Ciudadano, Marzo de 2016, p. 4.

coordinación con los comandos de Zodi en las guarniciones militares en todo el país:

1. REDI Occidental, que cubre los estados Falcón, Lara, Yaracuy y Zulia. Comando central está en Maracaibo, estado Zulia.

2. REDI Los Andes, abarca los estados Mérida, Táchira y Trujillo. El comando central está en la ciudad de San Cristóbal, estado Táchira.

3. REDI Los Llanos, abarca los estados Apure, Barinas, Cojedes, Guárico y Portuguesa. La sede del comando está en el Fuerte Cedeño, en San Juan de los Morros, estado Guárico.

4. REDI Central, con jurisdicción en los estados Aragua, Carabobo, Miranda, Vargas y Distrito Capital, con sede de comando en Fuerte Tiuna, Caracas.

5. REDI Oriente, que incluye los estados Anzoátegui, Monagas y Sucre, con sede de comando en Guanta, estado Anzoátegui, en el oriente de Venezuela.

6. REDI Guayana, que abarca los estados Amazonas, Bolívar y Delta Amacuro. El comando está ubicado en el Complejo Hidroeléctrico de Caruachi, Puerto Ordaz, estado Bolívar.

7. REDI Marítima Insular, con autoridad sobre los estados Nueva Esparta, y los espacios marinos y submarinos de Venezuela, incluyendo el territorio insular marítimo. Sede de comando está en la Estación Hidrográfica Pampatar, en Punta Ballena, estado Nueva Esparta.

También se estima que por lo menos dos cubanos, un comisario político y un oficial de inteligencia, están presentes en cada uno de los comandos de Zodi en Venezuela, un total de 23 a nivel nacional.

Zodi/Guarniciones militares

Las guarniciones militares en Venezuela coinciden con el número de estados que integran la república bolivariana. La presencia cubana está en todas las guarniciones militares del país, según testimonios recabados de diversas fuentes en Venezuela.

Esta es la lista de las guarniciones donde, más allá de cualquier acción de traslado o reagrupamiento en otro punto, se han venido ubicando los cubanos para realizar su trabajo:

- **Caracas**, Guarnición del Distrito Federal, con sede en la Tercera División de Infantería, en Fuerte Tiuna.
- **Maracay**, en la Cuarta División de Infantería.
- **Valencia**, comando de la Brigada Blindada de Naguanagua.
- **Zulia**, operan en dos lugares: en Fuerte Mara, y en el batallón Venezuela, que está en el fuerte dentro de Maracaibo, estado Zulia.
- **Falcón**, en Batallón Girardot, y en la unidad Naval en Paraguaná.
- **Maturín**, en la Brigada de Cazadores.

- **Bolívar,** en Ciudad Bolívar, al sureste del país, en el comando de la División de Selva. Están en Puerto Ordaz, y están en la Gran Sabana, donde hay dos batallones de infantería de Selva, para proteger la frontera con Brasil.
- **Anzoátegui,** en la base aérea Luis del Valle García, en Barcelona.
- **Guárico**, en el Fuerte Conopoima en San Juan de los Morros. También se ubican en la base aérea Manuel Ríos, donde funciona el comando central de satélites, un total de tres actualmente operativos: el Simón Bolívar (lanzado en 2008 y dedicado a telecomunicaciones); el Francisco de Miranda (puesto en órbita en 2012 y especializado en "observación"); y el Antonio José de Sucre (lanzado en 2017, con avances tecnológicos notables como visión infrarroja y nocturna, principalmente usado para fines de seguridad nacional). Los satélites operan con tecnología china[55].
- **Táchira**, la base aérea Santo Domingo, centro de operaciones fronterizas. También unidades tácticas (brigadas) 11 y 12 brigadas, que tienen batallones de infanterías, basadas en San Cristóbal.
- **Mérida**, el comando de la Brigada de Mérida.

---

[55] "Con tres satélites en órbita Venezuela avanza hacia la independencia tecnológica", portal de la Vicepresidencia de Venezuela, 22 de diciembre de 2017. Ver: http://www.vicepresidencia.gob.ve/index.php/2017/12/22/con-tres-satelites-en-orbita-venezuela-avanza-hacia-la-independencia-tecnologica/.

- **Apure**, en la División en San Fernando y el Comando de la Fuerza de Tarea en Guadualito, que es más operativo.

- **Barinas** está bajo influjo del comando en Táchira, una unidad que depende de Táchira. Es una conocida zona de alivio de los grupos disidentes de las FARC y del ELN.

- **Lara,** en Barquisimeto operan en la base aérea Teniente Vicente Landaeta Gil, y en la Brigada de Infantería. Mucha tropa y presencia cubana vital para control de deserciones.

- **Amazonas,** están en la guarnición de Puerto Ayacucho y en Puerto Páez, desde donde se controlan muchas operaciones en el río Negro y el Amazonas, en frontera con Colombia.

- **Nueva Esparta**, que abarca las islas de Margarita, Coche y Cubagua, los cubanos operan en la misma zona que alberga operativos de Hezbolá, Isis, rusos e iraníes.

- **Puerto Cabello**, la más importante base naval, donde los cubanos participan en el control de los Puertos Bolivarianos o Bolipuertos.

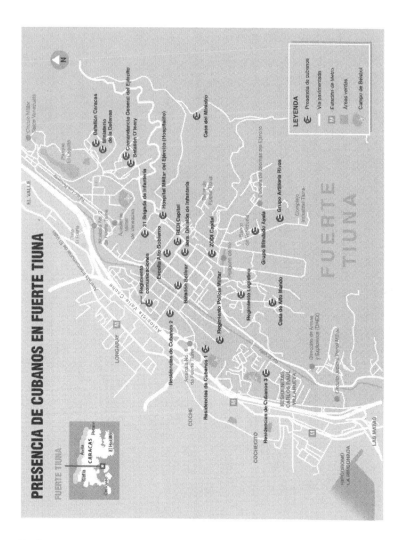

Cubanos en Fuerte Tiuna

Los cubanos continúan manteniendo una presencia importante en el mayor complejo militar de Venezuela, desempeñando importantes actividades destinadas en la actualidad a contener la eventualidad de un alzamiento militar, o un movimiento de desobediencia a Nicolás Maduro, través del espionaje intimidatorio y el amedrentamiento.

La mayoría de los cubanos reside en el llamado Bloque de Familias "Transición", al lado de la Corte Marcial, un complejo de 150 casas dentro de Fuerte Tiuna donde residen familias de oficiales.

"Están durmiendo allí y salen en las mañanas a los diferentes batallones y regimientos para controlar operaciones y contener deserciones", indicó una fuente consultada.

Otro grupo de cubanos "descentralizados" residen en casas familiares en habitaciones que están desocupadas, dentro de Fuerte Tiuna, mezclados entre civiles.

Al lado de la sede del Servicio de Armamentos, está ubicada la oficina administrativa que coordina las actividades de los cubanos que están dentro de Fuerte Tiuna.

Se estima que, en diversos momentos, operan en Fuerte Tiuna entre 200 y 500 cubanos con la misión principal de vigilar y contener el descontento y/o actitudes o acciones subversivas dentro de las siguientes unidades militares:

- Regimiento de la Policía Militar.
- Batallón de Comunicaciones Agraz. (Un grupo de cubanos duermen también en las instalaciones de la Policía Militar, en esta unidad. Este batallón maneja dos aspectos de la guerra muy importantes: la guerra electrónica y el contraespionaje militar dentro del Fuerte,

dos aspectos en los que participan los cubanos activamente).

- Batallón de Infantería Bolívar.
- Batallón de Tanques Ayala. (Custodiado por Generales).
- Batallón O'Leary (Batallón del Cuartel General del Ejército, le reporta al general procubano Jesús Suárez-Chourio, Comandante General del Ejército).
- Grupo de Artillería Rivas.
- Regimiento de Comunicaciones.
- Escuela de Idiomas (Existe allí un hotel que solía usarse para oficiales de paso por Caracas, pero actualmente está destinado al uso exclusivo de los cubanos en Fuerte Tiuna).

El control cubano consiste en: vigilar a comandantes de Unidades, reportar inmediatamente cualquier sospecha, amedrentar unidades, sembrar el terror, dirigir contramedidas para evitar deserciones, filtraciones de información y acciones de disuasión.

Jefes militares en Fuerte Tiuna y su relación con los cubanos

La mayoría de los actuales miembros del alto mando militar en Venezuela se han entrenado en Cuba y/o han recibido instrucciones de sus pares cubanos para las funciones de comando de todas las actividades defensivas del territorio nacional.

El General Vladimir Padrino, actual ministro de la Defensa, transcurre la mayor parte de su tiempo entre el palacio de Miraflores y Fuerte Tiuna. "Tiene una relación directa con los cubanos en Venezuela", y actúa como "bisagra" entre los altos militares y el entorno civil de Nicolás Maduro.

Jesús Rafael Suárez-Chourio, comandante en jefe del ejército de Venezuela, es visto como "cubano" y "completamente adoctrinado" desde el punto de vista de la capacitación militar y la lealtad ideológica. Fue moldeado y entrenado en La Habana y acompañó a Chávez durante sus contactos con La Habana.

El Almirante Remigio Ceballos, actual jefe del Comando Estratégico Operativo de las FANB, tiene toda la responsabilidad operativa de la Fuerza Armada. No se formó en Cuba, pero viajó mucho a la isla. "Quiere ser ministro y tiene ambiciones", reporta una fuente familiarizada con sus actividades. Su promoción está de retiro. Es considerado un "Talibán" de posiciones radicales. "Es brillante y bien formado en la Infantería de Marina de Estados Unidos", agregó la fuente.

El Mayor General Jesús Rafael Suárez-Chourio es una ficha muy cercana a los cubanos. Es considerado "cubano" desde el punto de vista de la formación militar y la lealtad ideológica. Se formó y entrenó en La Habana, y acompañó a Chávez durante sus contactos con La Habana "todo el tiempo", ya que era su guardaespaldas. Hizo el curso de Estado Mayor en La Habana. "Está completamente adoctrinado", indicó la fuente.

Suárez-Chourio es primo hermano del General de División Christopher Figuera Chourio, actual jefe del DGCIM, que durante años fue el asistente privado del fallecido Hugo Chávez. Figuera Chourio también se ha formado totalmente en Cuba, y trabajó durante la última década de vida de Chávez como su guardaespaldas personal.

El General Iván Hernández Dala, un hombre completamente leal a Nicolás Maduro y la Primera Dama Cilia Flores, es considerado uno de los "cerebros" detrás del trono. Hernández Dala es jefe de la Casa Militar y del DGCIM al mismo tiempo. Es considerado el "Torturador en Jefe".

Formado en Cuba. Adoctrinado. Tanto Hernández Dala como el general Christopher Figueras, actual jefe del Sebin, tienen una gran relación con los cubanos en las tareas de persecución y tortura de opositores y disidentes.

Hay otros altos militares con formación y adhesión ideológica a Cuba que ocupan menores posiciones como el caso del General Manuel Bernal Martínez, comandante del REDI Los Andes, también formado en Cuba.

El alto mando militar actúa bajo la supervisión de agentes cubanos, que asisten a las reuniones al más alto nivel estratégico, según denuncias del diputado opositor Julio Borges.

"Nos informan desde adentro de nuestra Fuerza Armada que 4 agentes cubanos, del más alto nivel, han asistido a las últimas reuniones del Estado Mayor Superior de la Fuerza Armada. Esto es una clara muestra de que Nicolás Maduro ya no confía en la institución militar, por eso la entrega y la sumisión a Cuba es total", indicó recientemente el diputado Borges[56].

El diputado también detalló el trabajo de "represión" de los cubanos dentro de los cuarteles:

"Nicolás Maduro sigue en el poder en Venezuela gracias a los cubanos que son quienes manejan to-

---

[56] "Julio Borges denuncia infiltración cubana en el Estado Mayor Superior de la FAN", *Diario de las Américas*, 15 de marzo de 2019.
Ver: https://www.diariolasamericas.com/america-latina/julio-borges-denuncia-infiltracion-cubana-el-estado-mayor-superior-la-fan-n4173769.

do el aparato represivo contra la Fuerza Armada venezolana y los factores democráticos. Ante eso, es muy importante que el mundo libre no solo presione a la dictadura de Maduro, sino también al régimen cubano".

La Guardia Nacional Bolivariana (GNB)

Este componente tiene bajo su responsabilidad el control de fronteras, aduanas, vías de comunicación y manifestaciones públicas, entre otras tareas. El comando central de la GNB se encuentra en Caracas, pero mantiene 24 comandos de Zona en todo el país, uno por cada entidad político territorial (estados) de Venezuela[57].

En la GNB operan fuerzas del Ministerio del Interior cubano especializadas en el control de manifestaciones e infiltración de grupos opositores.

La presencia de cubanos en la GNB fue puesta de relieve en los recientes enfrentamientos en la frontera entre Venezuela y Colombia, particularmente en la localidad venezolana de Ureña, en el estado Táchira.

"Bajo la dirección de agentes cubanos disfrazados de guardias nacionales de Venezuela, las fuerzas están atacando a los civiles en Ureña. Se está desarrollando una si-

---

[57] Control Ciudadano, op. cit., p. 26.

tuación muy tensa y peligrosa", denunció el senador norte-americano Marco Rubio[58].

Fuerza de Acciones Especiales (FAES)

Es el organismo de fuerza élite de la Policía Nacional Bolivariana, actualmente encargado de la represión a gran escala en todo el país, bajo la jefatura del General de Brigada de la Guardia Nacional Bolivariana Rafael Bastardo Mendoza, y Freddy Bernal, ambos sancionados por la OFAC.

"Es un organismo ampliamente infiltrado por cubanos", estimó el coronel Julio Rodríguez Salas, oficial retirado venezolano que apresó a Hugo Chávez durante el alzamiento militar de 2002.

El FAES tiene una central operativa en Caracas, pero es itinerante por todo el país, de acuerdo con las necesidades. Freddy Bernal, quien mantiene una relación de confianza privilegiada con La Habana desde la década de los setenta, coordina con los cubanos acerca del tipo y alcance de las operaciones. Hay cubanos disfrazados de FAES en zonas críticas como la frontera del estado Táchira con Colombia, precisó el coronel Rodríguez.

---

[58] "EE. UU. denuncia que 'agentes cubanos' en las Guardia Nacional de Venezuela están atacando a manifestantes", Europapress, 23 de febrero de 2019. Ver: https://www.europapress.es/internacional/noticia-eeuu-denuncia-agentes-cubanos-guardia-nacional-venezuela-estan-atacando-manifestantes-20190223163551.html

Milicias Bolivarianas

Este componente creado por el gobierno de Hugo Chávez, en aparente violación a la norma constitucional, se ha establecido como un cuerpo defensivo de extensión nacional, también bajo control de los cubanos.

La Milicia es considerada el quinto componente de la FANB, que depende directamente del Presidente de la República, en su calidad de Comandante en Jefe de las FANB, aunque para los aspectos operativos, está comandada por un general de División y depende del ministerio de la Defensa y del CEO-FANB[59].

Los cálculos oficiales señalan que la Milicia Bolivariana está formada por cerca de 1.6 millones de milicianos[60].

Colectivos/Frente Francisco de Miranda

Los llamados Grupos Colectivos, bandas paramilitares fuertemente armadas que operan como guardia miliciana de la revolución, fueron una idea concebida entre Chávez y Fidel Castro, inspirados en las Brigadas de Acción Rápida de Cuba[61], y han sido formados sistemáticamente en cursos de tres meses en La Habana, en los cuales han par-

---

[59] Control Ciudadano, *ibidem*.

[60] "Maduro asegura que la milicia bolivariana tiene 1.6 millones de miembros", Cubanet, 18 de diciembre de 2018.
Ver: https://www.cubanet.org/noticias/maduro-asegura-que-la-milicia-bolivariana-16-millones-miembros/

[61] "Venezuela y los colectivos de la muerte", Cubanet, 7 de abril de 2017.
Ver: https://www.cubanet.org/opiniones/venezuela-y-los-colectivos-de-la-muerte/

ticipado cientos de estos fanáticos con amplio historial criminal[62].

Tienen sus orígenes en los llamados Círculos Bolivarianos, que fueron creados por Chávez a principio de su mandato y organizados por Miguel Rodríguez Torres, ex jefe del SEBIN, actualmente en prisión.

Después de su creación, los Colectivos comenzaron a formar parte de la estrategia de defensa de la revolución paralelamente a la Fuerza Armada Nacional Bolivariana, por decisión de Chávez.

Su papel es básicamente el de "guardia pretoriana" de la "revolución", para lo cual cuentan con un significativo arsenal de armas de guerra. Son financiados por el gobierno y por las ganancias de sus propias actividades delictivas[63], incluso la extorsión y el narcotráfico[64].

Los colectivos han intervenido en una variada gama de acciones de defensa de la "revolución", desde apoyo a

---

[62] "El Miranda: escuderos de Chávez", *El Tiempo de Colombia*, 26 de Julio de 2006.
Ver: https://www.eltiempo.com/archivo/documento/MAM-2115103.
[63] "The devolution of State Power: The 'Colectivos'", Insight Crime, 18 de mayo de 2018.
Ver reporte completo: https://www.insightcrime.org/investigations/devolution-state-power-colectivos/
[64] "Armed civilian bands in Venezuela prop up unpopular president", *The New York Times*, 22 de abril de 2017.
Ver: https://www.nytimes.com/2017/04/22/world/americas/armed-civilian-bands-in-venezuela-prop-up-unpopular-president.html?ref=nyt-es&mcid=nyt-es&subid=article

concentraciones pro-gobierno en la capital venezolana, hasta la intimidación violenta de opositores al régimen[65].

Recientemente comenzaron a actuar fuera de sus enclaves naturales en barrios populares de grandes ciudades, para trasladarse a zonas fronterizas conflictivas, como la frontera entre Venezuela y Colombia en el estado Táchira[66].

Los colectivos, a través de sus nuevos mandos y de Freddy Bernal –quien dirige también el grupo paramilitar FAES y que fuentes de confianza aseguran tiene estrechas relaciones de colaboración con el Ministerio del Interior de Cuba desde 1979–, mantienen una comunicación fluida con los grupos de mando cubanos. Se estima que dentro de los colectivos operan cubanos infiltrados, principalmente en colectivos como La Piedrita, que controla la zona popular del 23 de enero, en la capital venezolana.

Los colectivos, con cubanos infiltrados, han estado jugando un papel clave en la contención de las operaciones de ingreso de ayuda humanitaria a través de la frontera con Colombia en el estado Táchira, así como el flujo migrato-

---

[65] "La amenaza de los colectivos chavistas a los manifestantes opositores en Montalbán: Eviten despertar nuestra furia", Infobae, 25 de Julio de 2017. Ver: https://www.infobae.com/america/venezuela/2017/07/25/la-amenaza-de-los-colectivos-chavistas-a-los-manifestantes-opositores-en-montalban-eviten-despertar-nuestra-furia/

[66] "Los colectivos, la amenaza que acecha la frontera de Colombia y Venezuela", *El Espectador*, 26 de febrero de 2019. Ver: https://www.elespectador.com/noticias/el-mundo/los-colectivos-la-amenaza-que-acecha-la-frontera-de-colombia-y-venezuela-articulo-842045.

rio entre ambas naciones a través de las llamadas "trochas"[67].

Se calcula que los colectivos pueden integrar un contingente de más de 7.000 hombres en 16 estados del país, según las estimaciones más recientes[68].

Varios de los más destacados colectivos, como "Tres Raíces", mantienen sólidos lazos con grupos de inteligencia como el SEBIN, la agencia de contrainteligencia militar (DGCIM) y el FAES[69].

Cubanos en aplicación de torturas

Varias ONG venezolanas han recopilado testimonios de presos políticos que dan cuenta de la presencia de personal cubano durante la aplicación de torturas.

El Instituto Casla, una ONG dedicada a sustanciar violaciones de Derechos Humanos en Venezuela y a consignar dichos expedientes ante la Corte Penal Internacional ha documentado 106 casos en el año 2018, de los cuales, 11 de las víctimas aseguran que sus represores eran cubanos.

---

[67] "Colectivos y grupos irregulares controlan paso por las trochas en la frontera con Cúcuta", *El Pitazo*, 18 de marso de 2019.
Ver: http://elpitazo.net/los-andes/colectivos-y-grupos-irregulares-controlan-paso-por-las-trochas-en-la-frontera-con-cucuta/.
68 "Maduro's muscle: motorcycle gangs known as 'colectivos' are the enforcers for Venezuela's authoritarian leader", *Sun Sentinel*, 14 de marzo de 2019.
Ver: https://www.sun-sentinel.com/news/nationworld/ct-maduro-venezuela-motorcycle-gangs-20190314-story.html
[69] Ver reporte de Insight Crime, "The Devolution of State Power".

"Nosotros este año por primera vez hemos recopilado 11 casos donde los testigos nos han dicho que personas cubanas, con acento cubano, los estaban torturando", afirmó la abogada Tamara Suju, directora ejecutiva del Instituto Casla[70].

Los métodos más comunes son palizas, encadenamiento y ahogamiento simulado. Asimismo, los torturadores presuntamente utilizan gases lacrimógenos y descargas eléctricas para interrogar a los detenidos.

Según lo reportó *El Nuevo Herald* el pasado 20 de marzo, el Instituto Casla, presentó ante la Comisión Interamericana de Derechos Humanos un informe actualizado en que afirma que "Agentes cubanos imparten órdenes a generales y coordinan actividades en centros de torturas clandestinos en Venezuela y señaló un informe que denuncia un aumento en el uso sistemático del tormento físico por el régimen de Nicolás Maduro".

Cancillería

De acuerdo con una fuente dentro del llamado Palacio Amarillo, sede del Ministerio de Relaciones Exteriores, los cubanos forman parte de un grupo de asesoría de alto nivel

---

[70] "Instituto Casla: 11 'torturados' en Venezuela denunciaron que sus victimarios tenían 'acento cubano'", *El Universal*, 27 de noviembre de 2018. Ver:
http://www.eluniversal.com/el-universal/26909/instituto-casla-11-torturados-en-venezuela-denunciaron-que-sus-victimarios-tenian-acento-cubano.

que participa en la toma de decisiones de política exterior en el propio despacho del canciller Jorge Arreaza.

Este grupo asesor, está integrado adicionalmente por expertos rusos e iraníes. "Los cubanos tienen acceso a la emisión de pasaportes diplomáticos", aseguró la fuente.

Misiones Sociales

Los cubanos que laboran en las diversas misiones sociales que funcionan bajo acuerdos binacionales, integran al mismo tiempo contingentes que pueden activarse en caso de una amenaza a la estabilidad de la revolución.

Los mismos médicos necesitan aprobar un intenso entrenamiento militar para obtener su diploma de graduados. Eso los convierte para el régimen castrista en una suerte de reserva militar que pueden movilizar en Venezuela en caso de necesidad. Mientras tanto, como acaba de revelar el *New York Times* del pasado 17 de marzo, cumplen múltiples funciones para nada relacionadas con su profesión como entre otras, la de proselitistas e informantes del aparato de inteligencia cubano sembrado en las estructuras militares y civiles de Venezuela.

Las cifras reconocidas de manera pública de este grupo de cubanos han ido disminuyendo. De unos 45,000 en 2012, la cifra habría bajado a unos 25,000. Pero el gobierno cubano puede hacerlas crecer en breve tiempo como ya hizo al enviar unos 2,000 *supuestos* médicos que recién regresaban de Brasil al cerrarse allí con el presidente Bolsonaro un programa similar al de Chávez que había sido instalado por el Partido de los Trabajadores de Dilma Rousseff.

Aunque el propio embajador cubano en Caracas, Rogelio Polanco, estimó en 22.000 el número de cubanos en Venezuela[71], el Secretario General de la OEA, Luis Almagro, calculó en 46.000 el número de cubanos que actualmente "sostienen" a Nicolás Maduro en el poder[72].

Cuba y el narcotráfico en Venezuela

Aunque la realidad de una integración entre narcotráfico en el alto gobierno es para Venezuela un fenómeno histórico sin precedentes, los vínculos del régimen cubano con el trasiego de drogas tienen una larga trayectoria que se remonta a cuatro décadas, según expertos y testimonios.

En ese sentido puede decirse que fue Cuba la que asesoró, facilitó y cooperó con un grupo de militares y civiles venezolanos para transformar su país en un narco estado, al tiempo que les ensenó a valerse de la ideología y retórica

---

[71] "Participarán en referendo más de 22 mil cubanos en Venezuela", *Granma*, 24 de diciembre de 2018.
Ver: http://www.granma.cu/mundo/2018-12-24/participaran-en-refenrendo-mas-de-22-mil-cubanos-en-venezuela-24-12-2018-09-12-55.
[72] "Luis Almagro, secretario general de la OEA: 'los 46 mil cubanos realizando tareas de represión, inteligencia y tortura deben desocupar Venezuela'", Nodal, 19 de diciembre de 2018.
https://www.nodal.am/2018/12/luis-almagro-secretario-general-de-la-oea-los-46-mil-cubanos-realizando-tareas-de-represion-inteligencia-y-tortura-deben-desocupar-venezuela/.

socialistas para enmascarar la genuina naturaleza de este proyecto criminal transnacional cubano-venezolano. Después del escándalo por narcotráfico de 1989, cuando fueron descubiertos con las manos en la masa, los cubanos andaban buscando el modo de poder retomar esas actividades, pero esta vez externalizando a un tercer país los riesgos a su seguridad nacional que les suponía ser descubiertos de nuevo.

Las primeras incursiones documentadas de Fidel Castro en el negocio de la droga se produjeron a partir de 1978, con la creación de un departamento para operaciones encubiertas del Ministerio del Interior al interior de la corporación cubana CIMEX, para lavar dinero y traficar con marihuana[73]. CIMEX fue registrada en Panamá por el oficial de origen chileno Max Marambio, alias "Guatón", a fin de mezclar en ese país las operaciones comerciales legitimas con las encubiertas bajo la sombrilla de esa corporación.

Según asegura el desertor (y autor de un libro sobre el tema) Norberto Fuentes, a principios de la década de los 80, el comandante Ramiro Valdés supervisó las narco-rutas de Marambio, en una serie de trasbordos de marihuana en el cayo Bahía de Cádiz, una isla en el norte de Cuba. En ese caso se trataba de una operación que contaba con la aprobación directa de Fidel Castro[74].

---

[73] *Narcotráfico y tareas revolucionarias. El concepto cubano*, Norberto Fuentes, Ediciones Universal, Miami, 2002, p. 96.
[74] *Idem*, p. 104-105.

En 1982, la Oficina del Fiscal Federal de los Estados Unidos para el Distrito Sur de la Florida acusó a cuatro funcionarios cubanos por actividades de narcotráfico. Entre los acusados se incluyen el primer embajador de Castro en Colombia, Fernando Ravelo Renedo, y su subordinado, Gonzalo Bassols, por facilitar, a cambio de embarques de armas para la guerrilla colombiana M-19, el contrabando de grandes embarques de marihuana y metacualona a los Estados Unidos a través de aguas y territorios cubanos.

La participación de Cuba fue pactada inicialmente por Ravelo y Bassols con el narcotraficante colombiano Jaime Guillot Lara. El contrabando fue protegido y apoyado por guardacostas y buques de la Marina de Guerra cubana, por lo que también fue acusado el jefe de esa rama militar, Vicealmirante Aldo Santamaría Cuadrado. También fue acusado el presidente del Instituto Cubano de Amistad con los Pueblos (ICAP) René Rodríguez Cruz. Santamaría y Rodríguez eran miembros del Comité Central del Partido Comunista de Cuba.

El "indictment" incluso menciona a Paredón Grande y Cayo Guincho, dos islotes situados respectivamente en el archipiélago cubano Jardines del Rey y frente a Puerto Padre, Las Tunas, como puntos de embarque de la droga hacia el sur de la Florida.

Toda la década de los 80 fue el auge de la cooperación de Cuba con el tráfico de narcóticos a gran escala que tenía su origen en Colombia. Según aseveran dos importantes testimonios –el de la señora Ayda Levy, viuda de Roberto

Suarez Gómez[75] y el del jefe de sicarios del Cartel de Medellín, John Jairo Velásquez —más conocido como "Popeye"— Pablo Escobar estableció un convenio sólido con los Castro para trasegar a través de Cuba cocaína que luego iba a parar a Estados Unidos, a razón de entre 10 y 12 toneladas por vuelo, por la cual los Castro cobraban "$2,000 por kilo transportado, y $200 por cada kilo custodiado", según refirió Popeye en el libro testimonial *Sangre Traición y Muerte: El Verdadero Pablo*[76].

Otros testigos que lograron escapar de la isla, revelaron que los colombianos mantenían una flota de 13 barcos y 21 aviones operando en territorio cubano, a través del narcotraficante colombiano Carlos Lehder y otros operadores.

Según estos testimonios, las fuerzas especiales cubanas jugaron un papel clave en los envíos de cocaína a Estados Unidos[77].

En 1988, cinco miembros de una red antidrogas con sede en Miami fueron condenados por contrabando de $10 mi-

---

[75] *El Rey de la Cocaína. Mi vida con Roberto Suárez Gómez y el nacimiento del primer narcoestado*, Ayda Levy, Edición Vintage Espoañol, New York, 2012. El libro dedica un capítulo a "La Conexión Cubana", entre las páginas 133 y 144.

[76] "La historia secreta sobre la relación entre Fidel Castro y Pablo Escobar", Infobae, 28 de noviembre de 2016. Ver: https://www.infobae.com/america/america-latina/2016/11/28/la-historia-secreta-sobre-la-relacion-entre-fidel-castro-y-pablo-escobar/.

[77] "How Cuba helped make Venezuela a Mafia State", *The Daily Beast*, 2 de junio de 2018. Ver: https://www.thedailybeast.com/how-cuba-helped-make-venezuela-a-mafia-state.

llones en cocaína en los Estados Unidos a través de Cuba el año anterior, y uno de los conspiradores reveló que Tony de la Guardia, uno de los operadores favoritos de Fidel Castro, participaba activamente en las operaciones de narcotráfico.

Al año siguiente, para quitarse de encima las acusaciones de narcotráfico que pesaban en su contra desde Estados Unidos, Fidel y Raúl Castro presidieron un dramático juicio en La Habana contra dos de sus altos oficiales, Arnaldo Ochoa y Tony de la Guardia, a quienes acusaron de organizar una red de distribución de narcóticos.

Pero lo que entró en receso a partir de 1989, cuando el gobierno de Bill Clinton archivó las acusaciones contra los Castro, volvió a reactivarse con la llegada de Hugo Chávez al poder en 1999.

Los servicios de inteligencia cubanos, que ya contaban desde fines de la década de los setenta con contactos en el mundo mafioso de la narco-delincuencia internacional, comenzaron a percatarse del potencial de acercar dos redes que se convertirían en los mayores proveedores mundiales de cocaína: las narcoguerrillas comunistas de las Fuerzas Armadas Revolucionarias de Colombia (FARC), que ya conocían, y las fuerzas de seguridad venezolanas, con las que ahora estrecharían relaciones[78].

Con la ayuda de los espías cubanos –quienes contaban con sus propias redes clandestinas de agentes en toda la región

---

[78] *Idem.*

y en Estados Unidos, así como con una experiencia de más de cuatro décadas de operaciones encubiertas–, los militares venezolanos, en torno a los cuales Chávez armó su gobierno, establecieron lo que comenzó a llamarse el Cartel de los Soles, en referencia a las insignias en forma de sol que portaban los generales venezolanos.

Aunque el flujo de drogas se mantuvo bajo control durante el período de Chávez, con la llegada de Nicolás Maduro el narcotráfico y el lavado de dinero alcanzaron niveles sin precedentes.

La captura en 2010 del narcotraficante Walid Makled, reveló que las redes del tráfico de drogas alcanzaban a los más altos mandos militares de Venezuela. El fenómeno llevó a Estados Unidos a sancionar a decenas de oficiales por sus vínculos con el narcotráfico.

Buena parte de estos oficiales estaban destacados en cuerpos policiales o servicios de inteligencia, organizaciones asesoradas y en algunos casos prácticamente controladas por los agentes de la inteligencia cubana.

Del tráfico al lavado

Durante décadas el Cartel de los Soles, bajo el mando de Diosdado Cabello, en sociedad con otros carteles de la región, y en especial con las FARC y el cartel de Sinaloa, desarrollaron una economía paralela con grandes recursos generada por el tráfico de cocaína, y una gigantesca maquinaria de lavado principalmente montada en la infraestructura de la petrolera estatal Petróleos de Venezuela (PDVSA).

Según una investigación del consultor de seguridad nacional Douglas Farah, Venezuela desarrolló en combinación con las FARC y operadores gubernamentales en Nicaragua y El Salvador, una maquinaria de lavado de dinero y tráfico de cocaína utilizando los acuerdos de PDVSA con esos países para justificar el flujo financiero que en realidad provenía del narcotráfico.

Cuba jugó un papel en esta estrategia de lavado que vinculó a figuras como Tarek El Aissami y Elías Jaua en Venezuela; Daniel Ortega en Nicaragua y José Luis Merino en El Salvador, y a organizaciones como Albanisa y la organización de alcaldes sandinistas en Nicaragua, Alba Petróleo, las FARC de Colombia y empresarios establecidos en Estados Unidos.

Por ejemplo, según Farah, durante las negociaciones de paz que el gobierno del presidente colombiano Juan Manuel Santos llevó a cabo con las FARC en La Habana, tuvieron lugar varias operaciones de traslado a Cuba de dinero en efectivo que la guerrilla colombiana mantenía ocultas en caletas en Colombia.

Farah dijo que estableció que las FARC sacaron de Colombia más de $2,000 millones en efectivo con la ayuda de Cuba.

"Lo que hizo las FARC fue sacar de Colombia a Cuba, en los vuelos de los negociadores, el dinero del narcotráfico.

Y es que como el presidente Santos otorgó privilegios de valija diplomática, las FARC podían sacar lo que quisieran. Entonces de esta manera lograron sacar mucho del efectivo que tenían enterrado, oro u otras cosas a Cuba donde se enchufaron con la estructura de su gran amigo y aliado de las FARC, el salvadoreño José Luis Merino, conocido como el comandante Ramiro", aseguró Farah[79].

La narco-conexión Caracas-La Habana

El más reciente episodio que implica al régimen de La Habana en el trasiego de droga y lavado de dinero en combinación con altos funcionarios de Venezuela ha tenido lugar en los últimos dos años, y ha implicado el uso de aviones de PDVSA para el traslado de la droga y de grandes cantidades en efectivo desde Venezuela a Cuba.

Según fuentes consultadas para este reporte, varias agencias federales mantienen abierta una investigación criminal en torno a una red de narcotráfico y lavado a través de la cual se trasladan semanalmente decenas de toneladas de cocaína en al menos cinco aviones registrados a nombre de

---

[79] Los terroristas de las FARC blanquearon 2.000 millones de dólares a través de Cuba, Nicaragua y Venezuela, *La Tribuna del País Vasco*, 29 de octubre de 2017.
Ver: https://latribunadelpaisvasco.com/art/7526/los-terroristas-de-las-farc-blanquean-2000-millones-de-dolares-a-traves-de-cuba-nicaragua-y-venezuela

PDVSA, que aterrizan en pistas controladas por el gobierno cubano.

Varios de los aviones, que van cargados con droga o con dinero en efectivo, aterrizaron en el aeropuerto Jardines del Rey, en el sector nororiente de Cuba, para descargar los envíos.

De acuerdo con testigos actualmente protegidos por el gobierno norteamericano, Cuba recibía un porcentaje de hasta el 30 por ciento de las cantidades de dinero en efectivo traídas desde Venezuela, a cambio de realizar transferencias a cuentas en bancos de Estados Unidos, para legitimar el dinero proveniente del tráfico de narcóticos.

La investigación, en la que participan varias fiscalías en coordinación con los departamentos de Justicia y Homeland Security, estableció que parte de ese dinero blanqueado por orden del gobierno era transferido a empresas establecidas en territorio norteamericano para adquirir equipos y piezas para la industria petrolera, que luego eran exportados a Venezuela o vendidos en el mercado internacional para obtener divisas ya blanqueadas.

Esta red, en la que participaron altos funcionarios del régimen de Nicolás Maduro, operaba también en conexión con otras empresas y operadores de Nicaragua y El Salvador, que formaban parte de los acuerdos de Petrocaribe alentados y financiados por Pdvsa.

CONEXIONES ESTRATEGICAS ENTRE VENEZUELA Y CUBA

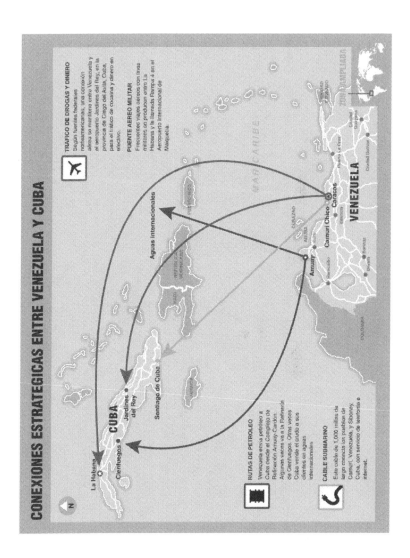

TRAFICO DE DROGAS Y DINERO
Según fuentes federales norteamericanas, una conexión aérea se mantiene entre Venezuela y el aeropuerto Jardines del Rey, en la provincia de Ciego del Avila, Cuba, para el tráfico de cocaína y dinero en efectivo.

PUENTE AEREO MILITAR
Frecuentes viajes aéreos con línea realizan se producen entre La Habana y la llamada Rampa 4 en el Aeropuerto Internacional de Maiquetía.

RUTAS DE PETROLEO
Venezuela envía petróleo a Cuba desde el Complejo de Refinación Amuay-Cardón. Algunas veces va a la Refinería de Cienfuegos. Otras veces Cuba vende el crudo a sus clientes en aguas internacionales

CABLE SUBMARINO
Este cable de 1,000 millas de largo conecta los pueblos de Camurí, Venezuela, y Siboney, Cuba, con servicio de telefonía e internet.

CUBA — La Habana · Cienfuegos · Jardines del Rey · Santiago de Cuba

VENEZUELA — Camurí Chico · Caracas · Amuay

MAR CARIBE

Aguas internacionales

Sobre los autores

Juan Antonio Blanco (Cuba, 1947)

Juan A. Blanco tiene un doctorado en Historia de las Relaciones Internacionales por la Universidad de La Habana. Hizo posteriormente un posgrado en Transformación de Conflictos en la Universidad de la Paz de las Naciones Unidas. En Cuba trabajó como profesor universitario. Más tarde se desempeñó como diplomático en la Misión de Cuba ante las Naciones Unidas (NY), donde actuó como facilitador de las negociaciones para el llamado Buró de Países No Alineados de ese movimiento internacional. Su última asignación con el gobierno cubano fue como analista principal de las relaciones entre EE.UU. y Cuba para el Departamento América del Comité Central del Partido Comunista de Cuba.

Después de exiliarse en Canadá, trabajó como Director de Programas Latinoamericanos de Human Rights Internet, una ONG internacional con base en Ottawa. Como tal, ayudó al primer gobierno democráticamente electo de México a establecer su primer diálogo con la comunidad de ONGs de derechos humanos del país. En los Estados Unidos, trabajó como Director Asociado Visitante del Instituto de Investigaciones Cubanas de la Universidad Internacional de Florida, y luego como Director Ejecutivo del Centro de Iniciativas para América Latina y el Caribe de Miami Dade College.

Como analista internacional de la política exterior de Cuba, el Sr. Blanco ha sido invitado a hacer presentaciones en prestigiosas universidades y centros de estudio en los Estados Unidos y Europa, como el Consejo de Relaciones Exteriores, Diálogo Interamericano, la Universidad Rey Juan Carlos y el madrileño Instituto Elcano. Blanco es a menudo invitado a participar en programas de televisión y radio sobre Cuba y otros temas internacionales.

Juan A. Blanco es actualmente el Director Ejecutivo de la Fundación para los Derechos Humanos en Cuba.

Rolando Cartaya (Cuba, 1952)

Graduado de Periodismo, Universidad de La Habana 1976. Ha trabajado en la página cultural de *Juventud Rebelde*, la agencia UPI, el servicio Worldnet y como editor de las revistas *Newsweek*, *Discover* y *Motor Trend* en español. Ha traducido más de 20 libros para la editorial cristiana Thomas Nelson, Inc.

Con Radio Martí desde 1989, fue editor, redactor, reportero, enviado especial y director y guionista desde 2001 del programa con la prensa independiente cubana *Sin Censores ni Censura*. También, de 2012 a 2019, redactor de la página web martinoticias.com. Ha sido analista de temas cubanos de los programas de TV *Levántate Cuba* (Martí) y *Ahora con Oscar Haza* (Mega TV). A fines de los 80 Fue uno de los vicepresidentes en Cuba del Comité

Cubano Pro Derechos Humanos, organización que dio pie al movimiento de derechos en la isla.

Luis Domínguez (Cuba, 1962)

Salió de Cuba en 1971 a la edad de 8 años para las Islas Canarias, en 1978 se muda a Hartford, Connecticut, y ahora radica en Miami, Florida.

Fundador del foro "Secretos de Cuba" y ahora director del blog "Cuba al Descubierto". Muchos de los artículos publicados en este blog han sido publicados en la primera página de los diarios *El Nuevo Herald*, y *The Miami Herald*, incluyendo artículos como "Cuba-Espionaje"; "En la mira el proceso de paz en Colombia" (2014), "Aviones de lujo para La Habana" (2014), "Revelan datos de varias figuras del régimen Cubano" (2011), "Fidel's son tricked in a revealing love sting" (2009). En TV Martí y martinoticias.com, "La secreta vida de lujos de Fidel Castro" (2017), "Amplio centro de espionaje en la Embajada de Cuba en Colombia" (2018).

Luis Domínguez es invitado frecuente a programas de televisión como *A Fondo*, *El Espejo* (Americateve), *A mano Limpia*, y *María Elvira Live*. (MegaTV).

Casto Ocando (Venezuela)

Casto Ocando es un reportero de investigación independiente que ha desarrollado una extensa carrera en medios hispanos de Estados Unidos y América Latina.

Ocando se ha especializado en su carrera en temas como corrupción, lavado de dinero, narcotráfico y crimen transnacional en América Latina, con particular énfasis en Venezuela, de donde es originario.

Ocando es el autor del libro *Chavistas en el Imperio*, una amplia investigación que cubrió más de una década de relaciones entre el gobierno socialista de Hugo Chávez y Estados Unidos, que reveló un doble estándar y numerosos casos criminales de chavistas en territorio norteamericano.

Su trabajo investigativo ha recibido importantes reconocimientos en Estados Unidos. En 2014, recibió un premio Emmy por su trabajo como co-productor del documental *El Chapo: El Eterno Fugitivo*, transmitido por Univisión. En 2013 formó parte del equipo investigativo de Univisión que recibió el Premio Peabody, uno de los más importantes de la industria de televisión, por el documental *Rápido y Furioso*, sobre el tráfico de armas desde Estados Unidos a México. En 2012 fue co-productor del documental *La Amenaza Iraní en América Latina*, que recibió un premio Telly. En 2008 recibió el premio Benjamin Spears del Overseas Press Club de Nueva York, por su cobertura noticiosa en Venezuela. Ocando ha recibido también el premio Sunshine State Journalism (2008) el más importante de la Florida, y varios reconocimientos de la Asociación de Periodistas Hispanos de Estados Unidos (NAHJ).

Ocando trabajó hasta 2001 en importantes medios en Venezuela como el diario *El Universal* y el semanario político *Quinto Día*, del que fue jefe de redacción-fundador en

1996. Entre 2001 y 2010, trabajó para The Miami Herald Media Company. Entre 2001 y 2014, fue productor asociado y consultor de noticias para Univisión Media Company. Desde 2014 trabaja como periodista de investigación independiente, contribuyendo con varios medios noticiosos y clientes corporativos en Estados Unidos y América Latina.